CRIANÇAS
DINAMARQUESAS

JESSICA JOELLE ALEXANDER
IBEN DISSING SANDAHL

CRIANÇAS DINAMARQUESAS

O que as pessoas mais felizes do mundo sabem sobre criar filhos confiantes e capazes

Tradução
ANDRÉ FONTENELLE

13ª reimpressão

O selo Fontanar foi licenciado para Editora Schwarcz S.A.

Grafia atualizada segundo o Acordo Ortográfico da Língua Portuguesa de 1990, que entrou em vigor no Brasil em 2009.

TÍTULO ORIGINAL The Danish Way of Parenting: What the Happiest People in the World Know About Raising Confident, Capable Kids

CAPA Jess Morphew

PREPARAÇÃO Lígia Azevedo

REVISÃO Adriana Bairrada e Marise Leal

ÍNDICE REMISSIVO Probo Poletti

Dados Internacionais de Catalogação na Publicação (CIP)
(Câmara Brasileira do Livro, SP, Brasil)

Alexander, Jessica Joelle
Crianças dinamarquesas : o que as pessoas mais felizes do mundo sabem sobre criar filhos confiantes e capazes / Jessica Joelle Alexander, Iben Dissing Sandahl ; tradução André Fontenelle. — 1ª ed. — São Paulo : Fontanar, 2017.

Título original: The Danish Way of Parenting: What the Happiest People in the World Know About Raising Confident, Capable Kids.
ISBN 978-85-8439-053-3

1. Pais – Dinamarca 2. Pais – Estudos interculturais
I. Sandahl, Iben Dissing. II. Título.

16-08440 CDD-306.874

Índice para catálogo sistemático:
1. Relacionamento entre pais e filhos : Sociologia 306.874

EDITORA SCHWARCZ S.A.
Rua Bandeira Paulista, 702, cj. 32
04532-002 — São Paulo — SP
Telefone: (11) 3707-3500
facebook.com/Fontanar.br
instagram.com/editorafontanar

Sumário

Filhos

F de farra — Porque brincar livremente resulta em adultos mais felizes e flexíveis.

I de integridade — Porque a franqueza e a honestidade elevam a autoestima, de modo que o elogio pode ser usado para criar uma mentalidade evolutiva em vez de engessada, tornando seus filhos mais resilientes.

L de linguagem — Porque o reenquadramento do diálogo pode transformar sua vida e a dos seus filhos para melhor.

H de humanidade — Porque a compreensão, a adoção e o ensino da empatia são fundamentais para a formação de crianças e adultos mais felizes.

O de opressão zero — Porque criar os filhos com uma abordagem mais democrática, sem disputas de poder, estimula a confiança e torna as crianças mais felizes.

S de socialização — Porque uma rede de relações sólida é um dos fatores mais importantes para nossa felicidade, e a sensação de *hygge* (aconchego) pode ajudar a propiciar isso aos filhos.

Prefácio

O processo de pesquisa e redação deste livro foi um verdadeiro ato de amor. Tudo começou com uma pergunta: por que os dinamarqueses — crianças ou adultos — são o povo mais feliz do mundo?

Como uma americana casada com um dinamarquês e como uma psicoterapeuta dinamarquesa, ambas criando filhos, essa pergunta nos parecia ao mesmo tempo profundamente pessoal e fascinante. Em busca de respostas nos debruçamos sobre pesquisas, dados e entrevistas com profissionais de um amplo leque de áreas. Quando o primeiro esboço deste livro ficou pronto, nós o enviamos a um grupo focal informal de pais e especialistas de toda a Europa e dos Estados Unidos, que incluía democratas e republicanos, naturebas e linhas-duras, adeptos do aleitamento materno e da palmada, superprotetores ou superexigentes e muito mais. Fomos em busca de todo tipo de pais, de todos os setores da sociedade.

Depois do valioso retorno que recebemos, publicamos por conta própria a primeira edição deste livro, acreditando ter criado algo de fato especial. Mesmo assim, ainda estávamos despreparadas para sua incrível trajetória, passando de uma iniciativa pequena a um movimento global em expansão, que continua a nos comover dia a dia, com cada novo leitor.

No começo, quando os pedidos do livro chegavam lentamente, a conta-gotas, ficamos espantadas com sua origem: Nova Zelândia, África do Sul, diversos países europeus, Vietnã, Indonésia, Austrália e Estados Unidos, só para dar alguns exemplos. Diretores de Hollywood, embaixadores e professores universitários o estavam comprando. Sabíamos disso porque fazíamos pessoalmente o empacotamento e o envio dos exemplares! Estávamos esperançosas, mas esse era um trabalho lento e enfadonho, e ainda pairava sobre nós a sombra do provável fracasso.

Aos poucos, porém, começamos a receber o retorno dos leitores — pais que tinham refletido sobre nossas ideias e agora as estavam experimentando com os filhos. O feedback não era apenas positivo: era repleto de gratidão e até alívio pela descoberta de que existia outra forma de criação, reprimida pelas expectativas da sociedade e pela pressão em fazer as coisas "do jeito certo".

Pais nos escreviam contando que tinham adorado a ideia de apostar nas brincadeiras, nas noções de humanidade e nas habilidades sociais — e não apenas acadêmicas. O fato de que essas práticas já vinham sendo adotadas em uma sociedade próspera e reconhecidamente feliz abriu os olhos de muitos leitores que mal haviam ouvido falar da Dinamarca.

Então ficamos sabendo que o livro estava sendo adotado em universidades. Uma professora entrou em contato para nos contar que havia criado um curso com base em *Crianças dinamarquesas* — e que seus alunos tinham ficado maravilhados ao ter a mente aberta para outra forma de criar os filhos.

Continuamos a pregar as boas-novas redigindo artigos e concedendo entrevistas, o que iniciou um efeito dominó.

Um empresário indiano que comprou *Crianças dinamarquesas* voltando de uma viagem à Dinamarca nos escreveu contando que queria promover o método em seu país: nas escolas, nos consultórios pediátricos e nos programas de formação de professores, assim como entre o público em geral. "Não é só um livro", ele escreveu, "é um movimento. E, do meu ponto de vista, um movimento capaz de transformar um país." Isso foi incrivelmente gratificante para nós.

O livro chegou então às mãos de uma grande editora, numa versão atualizada. E o resto da história ainda está sendo escrito.

Um pouco como acontece na criação dos filhos, *Crianças dinamarquesas* tem sido uma experiência complicada, árdua, alegre e gratificante. O que mais nos realiza e faz com que nos sintamos recompensadas é o retorno dos leitores — pais, avós, educadores, psicólogos, participantes de clubes de leitura e muitos mais. Mesmo que as pessoas não concordem com todos os detalhes do método dinamarquês, ele sem dúvida é útil para iniciar um debate. São ideias que viraram a semente de um movimento comunitário, ajudando-o a crescer e se tornar o que é hoje. Esperamos que elas continuem a se espalhar aos quatro ventos, para que mais gentileza, noções de humanidade e felicidade floresçam mundo afora. Fazemos votos de que este livro traga mais alegria a você e sua família.

Jessica Joelle Alexander
Iben Dissing Sandahl
Copenhague, fevereiro de 2016

Introdução

QUAL É O SEGREDO DA FELICIDADE DINAMARQUESA?

A população da Dinamarca, pequenino país no norte da Europa, mais conhecido pelo conto de fadas "A pequena sereia", de Hans Christian Andersen, tem sido eleita a mais feliz do mundo pela Organização para a Cooperação e o Desenvolvimento Econômico (OECD) quase todos os anos desde 1973. São mais de quarenta anos! Se você parar um instante para pensar, conquistar esse feito de maneira assim constante é espantoso. No momento em que escrevemos, os dinamarqueses também foram considerados o povo mais feliz do mundo por todas as edições do Relatório Mundial da Felicidade, publicado pelas Nações Unidas. Qual seria então o segredo desse sucesso?

Incontáveis artigos e estudos se dedicaram à resolução desse mistério. Por que a Dinamarca? O programa de TV *Sixty Minutes*, da rede americana CBS, exibiu uma reportagem a respeito, intitulada "A busca da felicidade"; a apresentadora Oprah Winfrey produziu um programa sobre o assunto, "Por que os dinamarqueses são tão felizes?". As conclusões sempre são convenientemente inconclusivas. Seria pelo sistema social do país, pela questão habitacional, pelo governo? Pelos impostos elevados e pelos invernos frios e tenebrosos é que não deve ser. Por quê, então?

Os Estados Unidos, país em cuja Declaração de Independência consta o direito à "busca da felicidade", não figuram nem entre os dez primeiros da lista, mantendo-se por volta do 17º lugar, atrás do México. Apesar de haver um ramo da psicologia dedicado à felicidade, além de um oceano sem fim de livros de autoajuda que ensinam a atingir essa fugidia condição, a população dessa superpotência mundial não é lá tão feliz. Por que isso acontece? E, mais do que isso, por que os dinamarqueses parecem tão satisfeitos?

Depois de muitos anos de pesquisa, acreditamos ter desvendado o segredo. E a resposta é bastante simples: toda essa felicidade vem da forma como os dinamarqueses são criados.

A filosofia dinamarquesa de como educar os filhos gera resultados poderosos: crianças felizes, emocionalmente seguras e resilientes, que se tornam também adultos felizes, emocionalmente seguros e resilientes, que reproduzem esse estilo de criação quando têm seus próprios filhos. Isso explica os mais de quarenta anos encabeçando os rankings de felicidade.

Durante essa incrível jornada, decidimos compartilhar com você os conhecimentos a respeito do método dinamarquês de criação. Neste guia passo a passo, nossa meta é auxiliar pais que estão para embarcar ou já embarcaram num dos trabalhos mais desafiadores e extraordinários do mundo. O método exige prática, paciência, força de vontade e autoconsciência, mas o resultado faz o esforço valer a pena. Não se esqueça de que esse será seu legado. Caso sua intenção seja criar os filhos mais felizes do mundo, não pare de ler. O segredo do êxito dinamarquês está nestas páginas.

UMA AMERICANA NA DINAMARCA

Quando meus amigos souberam que eu estava escrevendo um livro sobre criação de filhos com uma amiga, caíram na risada. "Você, a mulher menos maternal do mundo, escreveu um livro sobre esse assunto?" A ironia é que foi exatamente minha falta de talento como mãe que despertou meu interesse pelo método dinamarquês. Tinha certeza de que, se tinha mudado minha vida de forma tão profunda, por certo ajudaria outras pessoas.

Pois bem, não nasci com os tais dons supostamente inatos a toda mulher. Admitir isso não me incomoda. Nunca fui muito chegada a crianças. Para ser sincera, mal gostava delas. Fui mãe porque aconteceu. Dá para imaginar meu receio quando engravidei. "Como é que eu vou dar conta de um negócio desses?", pensei, na época. "Vou ser uma mãe horrorosa!" Por isso, peguei todo e qualquer livro sobre o assunto que aparecia. Li muito. Aprendi muito. Mesmo assim, o medo persistia.

Para minha felicidade, meu marido era dinamarquês. Nos mais de oito anos de contato com sua cultura havia percebido que eles não tinham grandes problemas com os filhos. No geral, as crianças eram felizes, tranquilas, bem-comportadas. Eu me perguntava qual seria o segredo daquilo, mas nunca encontrava um livro que tocasse no assunto.

Quando, por fim, me tornei mãe, acabei fazendo a única coisa que me parecia natural: dirigia toda e qualquer pergunta que me ocorresse a meus amigos e parentes dinamarqueses. Da amamentação à disciplina, passando pela educação, optei pelas respostas espontâneas em detrimento de qualquer livro na minha estante. Nesse trajeto, deparei com uma filosofia que me abriu os olhos e mudou completamente minha vida.

Falei sobre isso com minha grande amiga Iben. Ela é psicoterapeuta com muitos anos de experiência na área familiar. Juntas, refletimos sobre a pergunta: "Existe um método dinamarquês de criação de filhos?". Até onde ela sabia, não. Procuramos aqui e acolá livros sobre o tema, sem sucesso. Em todos os anos de trabalho, Iben nunca tinha ouvido falar de um "método dinamarquês", embora conhecesse a teoria e a prática (inclusive na própria pele) relacionadas ao tema. Haveria um estilo de criação distinto em sua própria cultura que ela nunca percebera?

IDENTIFICA-SE UM PADRÃO

Quanto mais falávamos do assunto, mais claro ficava que de fato existia uma filosofia dinamarquesa de criação de filhos. No entanto, ela devia estar tão profundamente arraigada à vida cotidiana e à cultura do país que passava despercebido por quem participava daquilo. Quanto mais observávamos, mais fácil ficava notar um padrão. Até que lá estava ele, bem diante dos nossos olhos: o método dinamarquês.

Nossa teoria se baseia em mais de treze anos de experiência, pesquisa e estudos da cultura e da vida cotidiana dinamarquesas, sustentados por fatos. Iben trouxe consigo, além da experiência pessoal, a visão de sua área de especialidade, confirmada por diversos estudos e exemplos da cultura local. Ambas aprendemos muita coisa durante essa caminhada, em nossas pesquisas e longas entrevistas com pais, psicólogos e professores a respeito do sistema educacional dinamarquês. Todos os estudos em que nos baseamos estão listados no final deste livro.

Gostaríamos de esclarecer que este não é um livro a respeito do modo de vida dinamarquês ou um manifesto político. É uma teoria sobre a criação dos filhos, que acreditamos representar um dos principais fatores para a liderança absoluta dos rankings de felicidade por esse país. Crianças felizes se tornam adultos felizes, que criam crianças felizes, e assim por diante.

Temos ciência de que esse não é o único fator da felicidade dinamarquesa. Além disso, sabemos que existem pessoas infelizes vivendo ali, já que a Dinamarca não é uma terra utópica e tem seus próprios problemas, como qualquer país. É preciso deixar claro também que este livro não tem a intenção de criticar os outros países, como os Estados Unidos, que é posto com frequência em comparação — os fatos e observações que apresentamos neste livro são generalizações. Tenho enorme orgulho de ser americana e amo profundamente meu país. Para mim, trata-se de uma oportunidade de enxergar o mundo sob uma lente bem diferente — com uma "lente dinamarquesa", podemos dizer —, o que mudou por completo meu ponto de vista.

Gostaríamos de propor que você também veja através dessa lente e reflita a respeito. Caso este livro ajude você a enxergar as coisas de outra maneira, teremos sido bem-sucedidas. Talvez você não se transforme de "pessoa menos maternal/ paternal do mundo" em uma mãe ou pai mais feliz ou em um ser humano melhor, como eu, mas torcemos para que as mudanças sejam positivas. E esperamos que desfrute desta jornada.

1. Como reconhecer nossas configurações-padrão

De tempos em tempos, todos fazemos uma reflexão sobre o que significa ter filhos. Seja antes do nascimento do primogênito, quando a criança faz uma cena ou durante uma briga na hora do jantar por conta dos brócolis, em algum momento cada um de nós pensou: "Será que estou fazendo do jeito certo?". Muitos recorremos a livros e à internet, ou conversamos com amigos e parentes em busca de apoio e conselhos. A maioria quer apenas ouvir que, de fato, está fazendo tudo do jeito certo.

Mas já parou para pensar em qual é o jeito certo? De onde tiramos nossos conceitos sobre criação de filhos? Se você for à Itália, vai ver crianças jantando às nove e correndo em volta das mesas dos restaurantes até meia-noite; na Noruega, é comum deixar os bebês dormindo ao ar livre mesmo com temperaturas próximas de vinte abaixo de zero; na Bélgica, admite-se que crianças bebam cerveja. Para nós, algumas dessas práticas podem soar bizarras, mas são o "jeito certo" de cada um desses países.

As ideias tacitamente aceitas a respeito da criação dos filhos constituem o que Sara Harkness, professora de desenvolvimento humano da Universidade de Connecticut, chama de "etnoteorias parentais". Há décadas ela estuda esse fenômeno, tendo chegado à conclusão de que as crenças intrínsecas em relação ao jeito certo de criar os filhos estão tão arraigadas na sociedade que é quase impossível enxergá-las de maneira objetiva. Para nós, parece simplesmente que as coisas são assim.

Dessa forma, a maioria já pensou naquilo que significa ser pai ou mãe, mas você já pensou no que significa ser pai ou mãe no seu país? E se a lente através da qual enxergamos distorcer nossa capacidade de enxergar qual é o "jeito certo"?

Se tirássemos por um instante essa lente, o que enxergaríamos? Se recuássemos um pouco para olhar de longe nosso país, que impressão teríamos?

A EPIDEMIA DE ESTRESSE

Nos últimos anos, países como os Estados Unidos vêm assistindo à queda do nível de felicidade individual. O uso de antidepressivos nesse país aumentou 400% entre 2005 e 2008, segundo o Centro Nacional de Estatísticas de Saúde. Também cresceu o número de transtornos psicológicos diagnosticados e medicados em crianças, ainda que em alguns casos sem um método preciso de diagnóstico. Somente em 2010, pelo menos 5,2 milhões de crianças e jovens entre os três e dezessete anos estavam tomando ritalina contra transtorno de déficit de atenção com hiperatividade.

Está em curso no país uma luta contra a obesidade e a chegada à adolescência cada vez mais cedo — ou "puberdade precoce", como se diz hoje. Crianças de apenas sete ou oito anos tomam injeções de hormônio para retardar esse processo. A maioria da população sequer acha isso estranho: acredita-se apenas que as coisas são assim. "Minha filha está tomando a injeção", comentou despreocupadamente outro dia uma mãe, que acreditava que a filha de oito anos estava entrando cedo demais na puberdade.

Sem se dar conta, muitos pais são excessivamente competitivos consigo mesmos, com os filhos e com outros pais. É claro que nem todos são assim — ou não desejam ser —, mas talvez a pressão de viver numa cultura competitiva esteja se fazendo notar. O discurso por todo lado pode ter um forte tom de desafio, o que deixa todo mundo na defensiva. "A Kim é craque no futebol. O técnico diz que ela é uma das melhores do time. Mas ela ainda consegue tirar A em tudo, apesar de também fazer caratê e natação. Não sei como ela consegue! E a Olívia, como tem se saído?" Sentimos a pressão pelo desempenho, para que nossos filhos tenham um bom rendimento escolar e realizem nosso ideal de sucesso infantil. E nos sentimos julgados — pelos outros e por nós mesmos. Parte disso se deve à natureza humana, mas parte se deve ao jeito de ser americano. O que empurra essa sociedade, no sentido de mostrar desempenho, competir e ter êxito num nível que, no fim das contas, não parece produzir adultos felizes? E se algumas das respostas em relação à criação dos filhos — das regras da criação — estiverem erradas?

E se descobríssemos que os óculos que estamos usando não têm o grau certo, impedindo que enxerguemos as coisas tão claramente quanto imaginávamos? Trocaríamos as lentes, corrigindo nossa visão e voltando a olhar para o mundo. E então descobriríamos que tudo ficou diferente! Ao tentar enxergar as coisas sob uma nova perspectiva, com novas lentes, a pergunta surge de modo natural: *existe um jeito melhor?*

COMO AVALIAR NOSSAS CONFIGURAÇÕES-PADRÃO

Outro dia, Jessica foi à cidade com o filho Sebastian, que beirava os três anos de idade. Ele estava com uma bicicletinha sem pedais e começou a atravessar a rua, embora ela tivesse berrado várias vezes para o menino parar. Jessica correu em desespero, agarrando-o com força pelo braço e dando-lhe um puxão. Ela ficou assustada e transtornada, e na hora em que ia gritar "Quando eu disser para parar, me obedeça!" percebeu que ele ia chorar de medo. Jessica teve que reunir todas as suas forças para se enxergar de fora e avaliar o que estava fazendo. Aquela não era a reação que queria ter. Ela vasculhou sua mente em busca de outra forma de agir e teve uma ideia. Parou, respirou fundo e baixou o tom, dizendo em uma voz calma, mas severa: "Você quer ficar com um dodói? A mamãe não quer que você tenha um dodói. Está vendo os carros?". Jessica apontou para eles e o filho assentiu. "Eles podem fazer dodói em você!"

Sebastian prestou atenção no que ela dizia e concordou. "Carro. Dodói", ele repetiu.

"Por isso, quando mamãe disser para você parar, obedeça, está bem? Assim os carros não fazem dodói em você."

Ele concordou, sem chorar. Os dois se abraçaram, e Jessica sentiu que ele ainda assentia com a cabeça. "Carro. Dodói."

Cinco minutos depois, chegaram a outra faixa de pedestres. Jessica lhe disse para parar, e Sebastian parou. Ele apontou para a rua e balançou a cabeça. "Carro. Dodói." Ela bateu palmas para que ele visse o quanto estava contente. Note que a satisfação não vinha apenas do fato de ele ter parado. Ela estava contente *consigo mesma* por ter parado — por ter impedido e alterado seu comportamento natural em um momento complicado. Não foi fácil, mas Jessica transformou uma situação tensa e potencialmente explosiva em outra, divertida e segura, cujo resultado deixou mãe e filho mais felizes.

Às vezes esquecemos que "criar", assim como "amar", é um verbo. Esforço e dedicação são necessários na obtenção de um retorno positivo. Para ser um bom pai ou mãe, é necessário um grau altíssimo de autoconsciência. É fundamental ficar de olho na forma como agimos quando estamos cansados, estressados, no limite de nossas forças — em nossa "configuração-padrão", ou seja, o esquema de ação e reação a que recorremos quando estamos cansados demais para pensar melhor.

A maior parte de nossas configurações-padrão é herdada de nossos pais. Elas estão arraigadas, programadas, como a placa-mãe de um computador. É essa configuração de fábrica que apresentamos quando chegamos ao nosso limite mental e não conseguimos raciocinar, a que foi instalada dentro de nós durante nossa criação. É por causa dela que nos pegamos dizendo coisas que na verdade não queremos dizer; que agimos e reagimos de maneiras que nem sempre são as mais adequadas; que nos sentimos mal por acreditar, lá no fundo, que existe um jeito melhor de fazer nossos filhos agirem certo, ainda que não saibamos como. Qualquer pai ou mãe conhece essa sensação.

É por isso que é tão importante observar sua configuração-padrão, analisá-la e compreendê-la. Em um processo de ação e reação diante de seu filho, do que você gosta? Do que não gosta? Simplesmente reproduz sua própria criação? O que gostaria de mudar? Só quando enxergar suas tendências naturais como pai ou mãe — sua configuração-padrão — poderá decidir como mudá-la para melhor.

Nos próximos capítulos, vamos ajudá-lo a fazer algumas dessas mudanças positivas. Usando um acrônimo fácil de recordar, FILHOS — farra, integridade, linguagem, humanidade, opressão zero e socialização —, vamos analisar alguns dos métodos testados e aprovados, que têm dado certo há mais de quarenta anos com os pais e mães dinamarqueses.

Desenvolver a autoconsciência e a tomada de decisões refletidas em relação ao processo de ação e reação é o primeiro passo na direção de uma mudança de vida radical. É assim que nos tornamos pais e mães melhores — e também pessoas melhores. E é assim que deixamos um legado de bem-estar. Existe um presente melhor para seus filhos, e para os filhos deles, do que ajudá-los a ser adultos mais felizes, confiantes e resilientes? Acreditamos que não. E esperamos que você concorde.

2. F de farra

Em geral, a brincadeira é considerada uma pausa do aprendizado sério.
Mas, para as crianças, brincar é um aprendizado sério.
Mr. Rogers

Já percebeu que existe uma pressão não declarada, e às vezes até declarada, para que seus filhos realizem uma série de atividades? Você não tem a sensação de que não está cumprindo seu dever caso seus filhos não estejam matriculados em pelo menos três ou quatro cursos por semana, seja de natação, balé ou basquete? Quantas vezes você já ouviu pais dizendo que no sábado estarão ocupados levando os filhos para um jogo, uma aula ou outra atividade?

Em compensação, quando foi a última vez que você ouviu alguém dizer: "No sábado, minha filha vai brincar"?

E "brincar" não quer dizer tocar violino, praticar algum esporte ou ir a uma festa organizada por adultos. Usamos o termo no sentido de deixar a criança livre para fazer o que quiser, com amiguinhos ou sozinha, como bem entender, por quanto tempo for. Até mesmo os pais que permitem a existência desse tipo de coisa no fundo se sentem culpados de admitir. É que no fim das contas achamos que estamos sendo pais e mães melhores quando ensinamos alguma coisa, enriquecemos o pequeno cérebro da criança ou fazemos com que pratique um esporte. Brincar muitas vezes parece desperdiçar o valioso tempo de aprendizado. Mas será que isso é verdade?

Nos Estados Unidos, nos últimos cinquenta anos, o número de horas em que as crianças ficam livres para brincar sofreu uma drástica redução. Além da televisão e da tecnologia, contribuem para isso o medo que os pais sentem de que os filhos se machuquem e um desejo que sentem de "capacitá-los". Todos esses fatores roubaram muito tempo que antes era dedicado a brincar.

Como pais, ficamos tranquilos quando nossos filhos demonstram estar progredindo. Gostamos de vê-los jogar futebol e fazer a torcida vibrar, ou de assistir a suas apresentações de balé e recitais de piano. Temos orgulho de dizer que Billy ganhou uma medalha ou um troféu, aprendeu uma música nova ou sabe o alfabeto em espanhol. Assim sentimos que somos bons pais. Fazemos isso com a melhor das intenções, porque, ao propiciar mais instrução e atividades estruturadas, treinamos nossos filhos para se tornarem adultos prósperos e bem-sucedidos. Mas será que é mesmo assim?

Não é segredo para ninguém que o número de diagnósticos de depressão, de transtornos de ansiedade e de déficit de atenção com hiperatividade disparou nos Estados Unidos. Seria porque não permitimos que as crianças brinquem livremente?

ESTAMOS SOBRECARREGANDO NOSSOS FILHOS?

Muitos pais se esforçam para colocar os filhos na escola antes ou para que pulem um ano. As crianças aprendem a ler e fazer contas cada vez mais cedo, e nos orgulhamos de como são "inteligentes". Na cultura americana, o cérebro e as habilidades esportivas são altamente valorizados. Movemos montanhas — contratando professores particulares, comprando brinquedos e programas educativos — para que eles sejam bem-sucedidos. Queremos sinais tangíveis, visíveis, mensuráveis. Brincar livremente pode ser divertido, mas o que a criança de fato aprende com isso?

E se lhe disséssemos que brincar livremente deixa as crianças menos ansiosas e mais resilientes? Está provado que a resiliência é um dos fatores mais importantes para o sucesso de um adulto. A capacidade de "dar a volta por cima", controlar as emoções e lidar com o estresse é fundamental em um adulto saudável e produtivo. Hoje, sabe-se que a resiliência previne não só a ansiedade, mas também a depressão. Os dinamarqueses a estão incutindo em seus filhos há muitos anos, e uma das formas de fazer isso é atribuir grande importância à brincadeira.

Em 1871, o casal Niels e Erna Juel-Hansen elaborou o primeiro método pedagógico baseado na teoria educacional que incorpora a brincadeira. Eles descobriram que brincar livremente é crucial para o desenvolvimento da criança. Na verdade, durante muito tempo os dinamarqueses não entravam na escola antes dos sete anos. Os educadores e os responsáveis pelo estabelecimento do calendário escolar não queriam que as crianças fossem incorporadas tão cedo ao sistema educacional porque consideravam que precisavam, antes de tudo, brincar. Ainda hoje, as aulas dos dinamarqueses de até dez anos terminam às duas da tarde, embora os pais possam optar por deixar os filhos o resto do dia na chamada "escola de tempo livre" (*skolefritidsordning*), onde são, sobretudo, incentivados a brincar. Parece incrível, mas é real!

Na Dinamarca, não existe um enfoque exclusivo na educação ou no esporte, e sim na criança como um todo. Pais e professores se concentram em coisas como socialização, autonomia, coesão, democracia e autoestima. O objetivo é que a criança desenvolva resiliência e uma forte bússola interna que vai orientá-la ao longo da vida. Os dinamarqueses sabem que os filhos terão uma boa educação e adquirirão diversas habilidades. Mas a verdadeira felicidade não vem apenas da boa educação. A criança que aprende a lidar com o estresse e a fazer amigos, mantendo uma perspectiva realista, tem talentos bem diferentes daqueles que teria um gênio da matemática, por exemplo. Esses talentos e essas habilidades estão relacionados a todos os aspectos da vida, e não apenas à carreira profissional. Afinal, de que adianta ser um gênio da matemática que não consegue lidar com altos e baixos? Todos os pais dinamarqueses com quem conversamos disseram que a pressão sobre as crianças lhes parece muito estranha.

Do ponto de vista deles, quando se exige constantemente que as crianças obtenham alguma coisa — boas notas, prêmios ou elogios de professores ou pais —, elas não conseguem desenvolver uma motivação própria. Os dinamarqueses acreditam que a criança precisa fundamentalmente de espaço e confiança, o que lhes permite ter controle sobre sua vida e resolver os próprios problemas. É isso que cria autoestima e autoconfiança genuínas, porque parte do incentivo vem da própria criança, e não de outra pessoa.

LOCUS DE CONTROLE INTERNO × LOCUS DE CONTROLE EXTERNO

Na psicologia, esse incentivo interno é conhecido como "locus de controle", que é o grau de poder que uma pessoa acredita possuir sobre a própria vida e os eventos que a afetam ("locus" significa "lugar" ou "local" em latim). Desse modo, pessoas com locus de controle interno têm poder sobre sua vida e aquilo que lhe acontece. Já pessoas cujo locus de controle é externo acreditam que sua vida é controlada por fatores como o ambiente ou o destino, sobre os quais têm pouca influência. O impulso vem de fora, e elas não conseguem alterá-lo. Todos somos afetados por nosso entorno, nossa cultura e nosso status social, mas a sensação de controle sobre a vida, a despeito disso, é o que faz a diferença entre o locus de controle interno e o externo.

Diversos estudos mostraram que crianças, adolescentes e adultos com um locus de controle fortemente externo têm mais predisposição a sofrer de ansiedade e depressão — ficam ansiosos por acreditar ter pouco ou nenhum controle sobre o próprio destino e deprimidos quando a sensação de impotência se torna pesada demais.

Pesquisas também mostram que nos últimos cinquenta anos ocorreu uma mudança radical na direção de um locus de controle mais externo entre os jovens. A psicóloga Jean M. Twenge e sua equipe avaliaram os resultados num período de cinquenta anos de um teste batizado de Escala de Controle Interno-Externo Infantil Nowicki-Strickland, que mede se a pessoa tem um locus de controle interno ou externo. Foi descoberta uma alteração profunda de um locus de controle interno para um externo em jovens do ensino fundamental à faculdade. Para dar uma ideia da profundidade dessa mudança, nos anos 1960 os jovens tinham uma probabilidade 80% maior de afirmar ter controle sobre sua vida que os jovens entrevistados em 2002.

Chamou atenção ainda o fato de essa tendência ser mais profunda em crianças no ensino fundamental do que em jovens do ensino médio ou superior. Portanto, a sensação de falta de controle sobre a própria vida vem cada vez mais cedo, mostrando-se ainda maior entre os mais novos. Essa elevação no locus de controle externo ao longo dos anos apresenta uma correlação linear com o aumento da depressão e da ansiedade. Mas o que está causando isso?

COMO DAR ÀS CRIANÇAS ESPAÇO PARA APRENDER E CRESCER

A "zona de desenvolvimento próximo" de Lev Vygotsky, psicólogo desenvolvimentista russo, é um conceito crucial na filosofia dinamarquesa de criação dos filhos. Ele diz que a criança necessita da quantidade certa de espaço para aprender e se desenvolver nas áreas adequadas a ela, com a quantidade apropriada de auxílio. Imagine ajudar uma criança a subir num tronco de árvore caído na floresta. Se no começo ela precisar de ajuda para subir, você lhe dará a mão e depois talvez apenas o dedinho, mas no momento adequado você a deixará ir sozinha. Na Dinamarca, pais e mães tentam não intervir a menos que seja absolutamente necessário. Confiam que a criança será capaz de experimentar e executar coisas novas, dando-lhes espaço para construir autoconfiança. Isso propicia a estrutura para que elas se desenvolvam e as ajuda a trabalhar a autoestima, o que é muito importante. Quando a criança se sente pressionada, às vezes perde o prazer naquilo que está fazendo e é levada ao medo e à ansiedade. Em vez disso, os pais dinamarqueses tentam apoiá-la no momento em que se sente segura para experimentar uma nova habilidade; depois, desafiam-na e convidam-na a ir um passo além ou tentar algo novo, enquanto ainda há empolgação e estranhamento.

Conceder esse espaço e respeitar a zona de desenvolvimento próximo permite que a criança crie tanto a competência quanto a confiança, criando um locus de controle interno ao sentir que está no comando do próprio desenvolvimento e dos desafios que se apresentam. Crianças forçadas ou excessivamente estimuladas correm o risco de criar um locus de controle externo, pela sensação de que não têm poder sobre o próprio desenvolvimento, definido por fatores externos. Isso abala os fundamentos da autoestima.

Às vezes acreditamos estar ajudando nossos filhos ao incentivá-los a aprender com mais rapidez ou a ter um desempenho melhor, mas orientá-los no momento apropriado traz resultados muito melhores — não apenas em relação ao aprendizado propriamente dito, que com certeza será mais agradável, mas porque a criança terá mais confiança no domínio de suas habilidades, sentindo-se mais responsável pela aquisição delas.

O psicólogo americano David Elkind concorda. Crianças forçadas a aprender a ler mais cedo, por exemplo, podem até ler melhor que os coleguinhas no começo, mas isso tende a se nivelar em poucos anos — e a que preço? No longo prazo, a criança que é forçada apresenta níveis mais altos de ansiedade e autoestima mais baixa.

Nos Estados Unidos, é possível encontrar um infindável número de livros sobre como reduzir a ansiedade e o estresse. Queremos eliminar ambos a qualquer custo, em especial em nossos filhos. Muitos pais superprotegem os filhos e estão sempre prontos para interceder por eles numa fração de segundo. A maioria de nós põe grades nas escadas e isola ou tranca qualquer coisa que possa representar o mais remoto perigo. Quando não o fazemos, temos a sensação de que somos pais ruins — julgamos e somos julgados por não fazer o suficiente pela proteção deles. Hoje há tantas bugigangas e aparatos de segurança considerados indispensáveis que até questionamos como é que as crianças de vinte anos atrás conseguiram sobreviver.

Ao mesmo tempo, queremos aumentar a autoconfiança dos nossos filhos, fazendo com que se sintam especiais. A forma mais comum de fazer isso é elogiá-los, às vezes excessivamente ou por feitos insignificantes. Mas, em nossa busca pelo aumento da autoconfiança e pela redução do estresse, talvez estejamos gerando mais estresse no longo prazo. Aumentar a autoconfiança em vez da autoestima é o mesmo que erguer uma casa bonita sobre uma fundação problemática. Todo mundo sabe o que vai acontecer quando o Lobo Mau chegar.

COMO A BRINCADEIRA PODE AJUDAR

Há muitos anos os cientistas estudam as brincadeiras dos animais, tentando entender seu propósito evolutivo. Eles descobriram que elas são fundamentais para aprender a lidar com o estresse. Em estudos realizados com camundongos e macacos *Rhesus*, os cientistas concluíram que, se esses animais são privados de companheiros com quem brincar durante o estágio crucial de seu desenvolvimento, eles se tornam adultos estressados. Suas reações a problemas são exageradas, e eles não se saem bem em ambientes de socialização. Apresentam medo excessivo, às vezes correndo trêmulos para um canto, ou agressividade extrema, atacando os outros. Os animais que tiveram um companheiro com quem brincar, mesmo que por apenas uma hora diária, apresentaram um desenvolvimento mais tranquilo e quando adultos demonstraram um comportamento melhor.

Reações do tipo "lutar ou fugir", vivenciadas com frequência no brincar, ativam o mesmo tipo de rota neuroquímica no cérebro que o estresse. Pense em quando vemos cachorros correndo livremente, ou um atrás do outro, de brincadeira. Muitos animais se entregam a esse tipo de jogo, assumindo o papel de atacante ou atacado numa briga de mentirinha, criando uma situação de estresse fingido. Sabe-se que expor o cérebro de filhotes ao estresse altera-o de modo a torná-los menos reativos com o passar do tempo, e isso significa que, quanto mais brincam, mais traquejado o cérebro fica na regulagem do estresse, permitindo que lidem com situações cada vez mais difíceis. Não se adquire resiliência fugindo do estresse, mas aprendendo a domá-lo e controlá-lo.

Se não proporcionamos a nossos filhos chances suficientes de brincar, estamos tirando deles o controle sobre o estresse? Quando observamos o número de diagnósticos de transtornos de ansiedade e de depressão na sociedade atual, ficamos pensando se não está faltando alguma coisa. Como um dos medos que as pessoas com ansiedade mais relatam é o de perder o controle sobre as próprias emoções, a pergunta se impõe: se dermos um passo atrás e deixarmos nossas crianças brincarem mais, elas se tornarão adultos mais resilientes e felizes? Acreditamos que sim.

BRINCAR PARA ADQUIRIR COMPETÊNCIAS

Em um estudo-piloto realizado com crianças em idade pré-escolar de um centro de desenvolvimento infantil em Massachusetts, os pesquisadores buscaram medir se havia uma correlação positiva entre a quantidade de brincadeiras e sua habilidade no enfrentamento de problemas. Usando um teste de avaliação lúdica e uma lista de competências, os pesquisadores cruzaram o tempo de brincadeira com a qualidade das competências adquiridas. O que concluíram foi que havia uma correlação positiva direta entre a quantidade de brincadeiras e a capacidade de enfrentar problemas. Quanto mais as crianças brincavam — isto é, quanto mais aprendiam competências sociais e participavam de contextos sociais e lúdicos, melhor elas se saíam em situações de crise. Isso levou os pesquisadores a acreditar que as brincadeiras tinham um efeito direto em todas as habilidades para a vida.

Outro estudo, realizado numa instituição da área da saúde em Palo Alto, Califórnia, pela equipe de Louise Hess, professora de terapia ocupacional, buscou investigar a relação entre as brincadeiras e o enfrentamento de problemas num grupo de adolescentes do sexo masculino. Foram estudados tanto jovens com desenvolvimento normal quanto jovens com problemas emocionais. Como no estudo com crianças em fase pré-escolar, em ambos os grupos de jovens foi verificada uma correlação direta e significativa entre a quantidade de brincadeira e a habilidade de lidar com crises. Os pesquisadores concluíram que brincar pode ser uma ferramenta para melhorar as competências de enfrentamento, principalmente a capacidade de se adaptar e abordar problemas e metas de uma maneira mais flexível.

Faz sentido. Basta olhar pela janela para ver crianças trepando em barras, subindo em árvores ou pulando de lugares altos. Estão todas testando situações de risco, e ninguém, a não ser elas próprias, sabe a dose certa ou como lidar com isso. Mas é importante que sintam ter o controle da dose de estresse que conseguem suportar. Isso, por si só, lhes dá a sensação de controle sobre a própria vida. Primatas e outros animais fazem o mesmo na juventude: colocam-se propositalmente em situações perigosas, saltando e se balançando em árvores, rodopiando e girando, dificultando a aterrissagem. É assim que se aprende a lidar com o medo. O mesmo ocorre com as lutinhas de brincadeira, como já dissemos. O animal se coloca no papel de atacado ou de atacante para compreender as questões emocionais ligadas a ambos.

Para as crianças, brincar socialmente também é estressante, podendo propiciar tanto conflito quanto cooperação. O medo e a raiva são apenas alguns dos sentimentos com que elas devem aprender a lidar para continuar a brincar. Quando se brinca ou joga, não existe elogio exagerado. As regras precisam ser negociadas e renegociadas, e os jogadores precisam estar cientes do estado emocional dos demais para evitar que alguns se aborreçam e desistam, senão a brincadeira acaba. Como no fim das contas o que a criança quer é continuar brincando com as outras, é preciso praticar o relacionamento com os demais em pé de igualdade — uma habilidade vital para a felicidade posterior na vida.

Brincar é tão prioritário na perspectiva dinamarquesa da infância que muitas escolas possuem programas específicos para incentivar o aprendizado dos estudantes por meio de esportes, jogos e exercícios. Um deles, por exemplo, batizado de Patrulha do Jogo, é destinado aos estudantes dos primeiros anos do ensino fundamental e conta com o auxílio dos mais velhos. Esses programas são administrados pelos próprios alunos, estimulando tanto os mais jovens quanto os mais velhos a participar de diversas brincadeiras, encorajando as crianças mais tímidas e solitárias a entrar na onda também. Esse tipo de jogo divertido e criativo, que mistura faixas etárias, motiva a criança a se testar de uma forma que não ocorreria sob a tutela de pais ou professores. Causa ainda uma forte redução do bullying e desenvolve as habilidades sociais e o autocontrole.

A VERDADE POR TRÁS DO LEGO E DOS PARQUINHOS

Quase todo mundo brincou de Lego pelo menos uma vez na vida. Um dos brinquedos mais populares da história, foi considerado o brinquedo do século pela revista *Fortune*. Originalmente feito de madeira, o Lego nunca abandonou o conceito fundamental do bloquinho de construir. Assim como a zona de desenvolvimento próximo, o Lego funciona em qualquer idade. Sempre que a criança está perto de dar o passo seguinte, no sentido de uma construção mais complicada, existe um Lego perfeito para isso. É uma brincadeira maravilhosa para se fazer com os filhos, ajudando-os de maneira tranquila a dominar o nível seguinte. A criança também pode brincar sozinha ou com os amigos. No mundo inteiro, são incontáveis as horas passadas com esse brinquedo.

Um fato interessante que a maioria das pessoas não sabe a respeito do Lego é que ele é dinamarquês. Criado em 1932 por um carpinteiro, o brinquedo foi batizado de Lego como abreviação das palavras "*leg godt*", que significam "brincar bem". Desde o início, a ideia de usar a imaginação já estava presente.

Outra empresa dinamarquesa, chamada Kompan, também é digna de nota. Ela cria parquinhos ao ar livre que ganharam diversos prêmios de design por serem simples, de qualidade e funcionais. A missão da empresa é promover a brincadeira sadia como algo importante no aprendizado infantil. Seu primeiro parquinho foi criado por acidente, na década de 1970, quando um jovem artista percebeu que sua instalação artística colorida, criada para deixar um insosso conjunto habitacional mais alegre, estava sendo usada mais para brincadeiras infantis que para a contemplação de adultos.

Hoje, a Kompan é a fornecedora número um de parquinhos no mundo. É notável e emblemático que um país de apenas 5 milhões de habitantes seja o líder mundial no fornecimento de instrumentos que possibilitem tanto brincadeiras indoor quanto ao ar livre.

Portanto, da próxima vez que você tiver vontade de "salvar" seus filhos ao vê-los balançando em galhos, saltitando entre pedras ou brincando de luta com os amigos, lembre-se de que esse é o jeito deles de entender o grau de estresse que podem suportar. Quando estiverem brincando em um grupo que inclua crianças das quais você gostaria de protegê-los, lembre-se de que precisam desenvolver o autocontrole e aprender a negociar com pessoas de todo tipo de personalidade para que a brincadeira não acabe. Nesse processo, eles testam suas próprias habilidades e a extensão de sua adaptabilidade. Quanto mais brincarem, mais resilientes e socialmente capazes serão. É um processo natural. A capacidade de *leg godt* ou "brincar bem" é um dos bloquinhos de montar que constroem um mundo de felicidade no futuro.

DICAS PARA A FARRA

1. Desconecte

Desligue a TV e os aparelhos eletrônicos! A imaginação é o ingrediente essencial para que a brincadeira tenha efeitos positivos.

2. Crie um entorno estimulante

Ter à sua volta uma variedade de materiais pode estimular todos os sentidos, e pesquisas mostram que um ambiente sensorialmente rico ajuda no desenvolvimento do córtex cerebral.

3. Use a arte

O cérebro infantil se desenvolve com a arte. Mas não mostre como se faz — apenas disponibilize o material e deixe a criança criar espontaneamente.

4. Permita a exploração do mundo exterior

Leve as crianças para brincar na natureza o máximo possível — no parque, na praça, na praia, pouco importa. Procure encontrar áreas seguras, onde você não tenha medo de deixá-las livres para explorar o ambiente. A ideia é que elas possam usar a imaginação e se divertir.

5. Junte crianças de diferentes idades

Tente colocar seus filhos em contato com crianças de idades variadas. Isso estimula a zona de desenvolvimento próximo, de modo que uns facilitam o aprendizado dos outros e todos sobem de patamar naturalmente. Dessa forma, a criança aprende tanto a ser protagonista quanto a cooperar com os mais velhos, participando e questionando. É assim que se ensinam as habilidades de negociação e autocontrole tão necessárias na vida.

6. Deixe-as livres e não se sinta culpado

Crianças não precisam de brinquedos específicos ou de atividades comandadas por adultos. Quanto mais você as deixar no comando de suas próprias brincadeiras, usando a imaginação e fazendo tudo por conta própria, melhor elas brincarão. Assim elas aprendem habilidades inestimáveis. Perdemos tanto tempo preocupados com o número de atividades em que nossos filhos estão inscritos ou com quantos cursos estão fazendo que esquecemos a importância de deixá-los brincar livremente. Ponha o sentimento de culpa de lado por supostamente não estar sendo um bom pai ou mãe e permita que apenas brinquem. É disso que eles precisam!

7. Leve a sério

Se quiser brincar com os filhos, você tem que levar 100% a sério o que fizer. Não tenha medo de parecer bobo. Siga as instruções deles. Pare de se preocupar com aquilo que os outros — ou você mesmo — pensam a seu respeito. Desça ao nível deles e tente deixar rolar, nem que seja por vinte minutos diários, se for muito complicado para você. Um tempinho brincando com as crianças de igual para igual tem mais valor que qualquer brinquedo que você possa comprar.

8. Deixe-as brincar sozinhas também

Brincar sozinho é extremamente importante para a criança. Essa é muitas vezes uma forma de processar experiências, conflitos e acontecimentos cotidianos. Brincando de faz de conta e fazendo vozes diferentes, as crianças podem reinterpretar o que ocorre em seu mundo, e isso tem um efeito altamente terapêutico. Também é ótimo para desenvolver a fantasia e a imaginação.

9. Crie uma corrida de obstáculos

Tente construir uma pista de obstáculos com banquinhos, colchões etc., ou monte um espaço em casa onde as crianças possam se deslocar usando a imaginação. Deixe-as brincar, subir, explorar e criar livremente — e não se estresse com isso.

10. Inclua outros pais e mães

Envolva outros pais e mães no movimento pela brincadeira saudável. Quanto maior o número de crianças, mais elas terão liberdade de brincar sem o comando de adultos. Pediatras americanos elaboraram uma lista de recomendações para convencer pais e mães de que brincar é saudável. É importante para as crianças e deve ser incentivado e discutido com os demais.

11. Evite intervir o tempo todo

Tente não ser tão severo com os filhos dos outros nem intervir cedo demais por conta do desejo de proteger seu filho. Às vezes é aprendendo a lidar com outras crianças que se obtêm as lições mais valiosas de autocontrole e resiliência.

12. Deixe rolar

Deixe seus filhos fazerem as coisas sozinhos. Quando vier o impulso de "salvá-los", pare um instante e respire fundo. Lembre-se de que eles estão adquirindo algumas das habilidades mais importantes para a vida.

3. I de integridade

Nenhuma herança é tão rica quanto a honestidade.
William Shakespeare

Você já assistiu a um filme "pra cima" que na verdade o deixou "pra baixo"? Do tipo que faz você pensar que sua vida, seu emprego, seu relacionamento, sua casa, seu carro ou sua roupa não são tão incríveis assim? Ou que não tem nada a ver com a realidade? Quando isso acontece, você acaba deixando para lá, porque, no fim das contas, era só um filme "pra cima", que não estimula tanto a reflexão. A maior parte dos filmes de Hollywood é de fato feita para que você se sinta bem. Mas, se a arte imita a vida, é o caso de pensar até que ponto os finais felizes têm alguma relação com a realidade.

Os filmes dinamarqueses, por sua vez, não raro têm finais sombrios, tristes ou trágicos. É muito difícil que acabem da maneira conciliadora com que estamos acostumados. Quando assistia a filmes dinamarqueses, Jessica muitas vezes ficava esperando aquela trilha sonora tranquilizante, sinal de que o sofrimento estava para acabar e de que haveria uma reviravolta para o bem. Os mocinhos ficariam juntos, o herói salvaria o mundo. Como americana, ela tinha a sensação de que um final feliz era quase um direito. Mas, repetidamente, os filmes dinamarqueses tocavam em questões sensíveis, reais e dolorosas. Ao contrário: deixavam Jessica e os demais membros da plateia se sentindo abandonados, sem oferecer nenhuma solução para as emoções cruas que haviam sido despertadas. Vendo filmes assim, como os dinamarqueses podem ser tão felizes?

A equipe de Silvia Knobloch-Westerwick, professora de comunicação na Universidade Estadual de Ohio, realizou um estudo mostrando que, ao contrário da crença popular, assistir a filmes trágicos ou tristes na verdade torna as pessoas mais felizes, chamando a atenção para aspectos positivos da própria vida. Eles tendem a fazer as pessoas refletirem a respeito dos próprios relacionamentos, o que é enriquecedor e as coloca em contato mais próximo com a condição humana.

FINAIS FELIZES

Hans Christian Andersen é, sem dúvida, um dos mais conhecidos autores dinamarqueses da história, tendo escrito contos de fadas como "A pequena sereia", "O patinho feio" e "A roupa nova do imperador", para citar apenas alguns. Essas histórias foram contadas no mundo inteiro, mas a maioria das pessoas não se dá conta de que vários dos textos originais de Andersen não têm nem de longe o final que hoje se espera de um conto de fadas. A protagonista de "A pequena sereia", por exemplo, não fica com o príncipe, e de tanta tristeza se transforma em espuma marinha. Muitos dos contos trágicos de Andersen foram adaptados para se encaixar em nosso ideal de como as coisas devem ser.

Nas traduções para o inglês, os adultos se empenharam em poupar as crianças de certas coisas, mas, na Dinamarca e em versões mais antigas, os leitores têm mais liberdade para chegar a seus próprios juízos e conclusões. Os dinamarqueses acreditam que também devemos falar de tragédias e acontecimentos incômodos, porque aprendemos mais sobre o caráter com aquilo que nos faz sofrer do que com aquilo que nos deixa contentes. É importante ter contato com todos os aspectos da vida, gerando autenticidade, empatia e um respeito mais profundo pela humanidade. Isso também nos ajuda a sentir gratidão pelas coisas simples, que às vezes esquecemos que não caem do céu, de tão focados que estamos numa vida ideal.

Para os dinamarqueses, a integridade começa pela compreensão de nossas próprias emoções. Se ensinarmos nossos filhos a reconhecer e aceitar seus verdadeiros sentimentos, bons ou ruins, e a agir de forma coerente com os próprios valores, eles não se sentirão esmagados por problemas e momentos ruins da vida. Saberão agir de acordo com aquilo que acreditam ser o certo. Reconhecerão e respeitarão os próprios limites. Essa bússola interior, uma autoestima autêntica embasada em valores, acaba por virar a força condutora da vida, extremamente resistente às pressões que vêm de fora.

CRIANDO FILHOS ÍNTEGROS

Criar os filhos com integridade é o primeiro passo para orientá-los a ser corajosamente francos consigo mesmos e com os outros, e, para isso, é importante que os pais sirvam como modelo de saúde emocional. A honestidade emocional, e não a perfeição, é o que os filhos de fato necessitam dos pais. A criança observa o tempo todo suas reações de raiva, alegria, frustração, contentamento e êxito, e como você as expressa diante dos outros. É preciso ser um modelo de franqueza, fazendo as crianças entenderem que não há problema em sentir todas as emoções possíveis. Muitos pais e mães consideram mais fácil lidar com os filhos em momentos felizes, mas, quando se trata de emoções mais complexas, como raiva, agressividade e ansiedade, o desafio é muito maior. Como resultado, a criança aprende menos a respeito desses sentimentos, o que pode afetar sua capacidade futura de controlá-los. Reconhecer e aceitar desde cedo todas as emoções, inclusive as ruins, facilita a vida.

Ao atravessar um momento difícil, por exemplo, sorrir e dizer que está tudo bem nem sempre é a melhor estratégia. Enganar a si mesmo é a pior coisa a fazer e passa uma mensagem perigosa para as crianças, que aprendem a repetir esse comportamento. O autoengano confunde, porque nos faz ignorar o que realmente sentimos, podendo nos levar a tomar decisões com base em influências externas, e não em nossa vontade real. Esse caminho conduz a uma situação indesejada, e é assim que acabamos infelizes. Nesse momento, muita gente olha para a própria vida e diz: “Espere aí, é isso mesmo que eu queria? Ou é o que as pessoas esperavam que eu quisesse?”.

Ser íntegro, por outro lado, é olhar para a própria essência em busca daquilo que é o certo para você e sua família, sem ter medo de assumir isso. É se permitir ficar em contato com as próprias emoções e agir levando isso em conta, em vez de reprimi-las ou deixá-las adormecidas. Isso exige força e coragem, mas a recompensa é enorme. Aprender a tomar atitudes em relação a metas intrínsecas, como melhorar um relacionamento ou descobrir um hobby, e não metas extrínsecas, como comprar um carro novo, é o que comprovadamente gera bem-estar.

Portanto, comprar uma casa maior ou inscrever os filhos em todas as atividades consideradas adequadas podem ser armadilhas enganosas. Assim como forçar as crianças a realizar os sonhos dos pais ou de outras pessoas, em vez de prestar atenção aos desejos delas e respeitar seu ritmo pessoal de crescimento e desenvolvimento. Sob pressão ou excesso de elogios, a criança pode se acostumar a fazer as coisas em busca de reconhecimento em vez de autossatisfação, e internaliza isso para o resto da vida. Passa a estimular metas extrínsecas — a busca de algo externo a si mesmo para ficar feliz —, que podem até levar ao sucesso sob certo ponto de vista, mas não vão necessariamente despertar aquele sentimento profundo de felicidade e orgulho de si mesmo que todos nós tanto buscamos. Como já dissemos, pode, na verdade, engendrar ansiedade e depressão.

O MÉTODO DINAMARQUÊS DO ELOGIO SINCERO

A humildade é um valor muito importante na Dinamarca, parte da herança cultural de seu povo. Esse valor tem a ver com se sentir bem a ponto de não precisar dos outros para se considerar importante. Por isso, os dinamarqueses tentam não exagerar nos elogios aos filhos.

Iben costuma dizer às filhas que elas podem conseguir o que quiserem com esforço. Elas sabem que são responsáveis pelo próprio crescimento e desenvolvimento, e Iben as incentiva nesse sentido. Mas ela maneira nos elogios, por acreditar que o excesso soaria vazio e não seria compreendido pelas meninas.

Por exemplo, quando uma criança dinamarquesa rabisca em poucos segundos um desenho e o entrega ao pai ou à mãe, provavelmente não vai ouvir: "Uau! Que lindo! Você é um grande artista!". O tutor talvez faça perguntas sobre o desenho em si. "O que você desenhou?" "Em que estava pensando?" "Por que escolheu estas cores?" Ou vai apenas agradecer, como se o desenho fosse um presente.

Focar no processo em vez de exagerar nos elogios é uma abordagem muito mais dinamarquesa, porque volta a atenção para o trabalho e funciona, ainda, como uma lição de humildade. Ajudar a criança a desenvolver o sentimento de que é capaz de dominar uma técnica, mas não de que já a domina, propicia um fundamento mais sólido sobre o qual se erguer e se desenvolver. Isso desenvolve a resiliência e a força interior. Pesquisas recentes dão sustentação a essa ideia.

MENTALIDADE FIXA × MENTALIDADE DE CRESCIMENTO

Nos Estados Unidos, muitos pais acreditam que elogiar a inteligência dos filhos aumenta a confiança e a motivação deles para aprender. Pais americanos têm tendência a elogiar gratuitamente por acreditar que isso ajuda no desenvolvimento. Mas três décadas de estudos realizados por Carol S. Dweck, psicóloga da Universidade Stanford, provaram o contrário.

Os elogios guardam uma correlação forte com a forma como as crianças enxergam a própria inteligência. Quando ela é constantemente elogiada por ser inteligente ou por apresentar um talento ou dom natural, passa a ter aquilo que é chamado de "mentalidade fixa" (ideia de que a inteligência lhe pertence e que isso nunca vai mudar).

Em compensação, a criança que ouve que a inteligência pode ser desenvolvida através do trabalho e da educação passa a ter uma "mentalidade de crescimento" (ideia de que suas habilidades podem ser aprimoradas caso se esforce para isso).

As conclusões de Dweck mostram que a criança com uma mentalidade fixa tende a se preocupar, antes e acima de tudo, com a avaliação que vai receber — inteligente ou não inteligente. Ela passa a ter medo de se esforçar demasiadamente, porque com isso se sente pouco inteligente. Acredita que quem tem a capacidade não precisa fazer esforço. E, como sempre lhe foi dito que ela tem essa capacidade, teme que, ao precisar se esforçar, perderá seu status.

A criança com uma mentalidade de crescimento, por sua vez, tende a se importar com o aprendizado. Aquela que foi incentivada a se esforçar, e não a apostar na inteligência, enxerga o esforço como algo positivo. Isso desperta a inteligência e a faz crescer. É o tipo de aluno que se esforça mais diante de um resultado ruim e busca novas estratégias de aprendizagem em vez de desistir. Esse é o mais alto grau de resiliência que existe.

A CHAVE PARA O APRENDIZADO E O ÊXITO POR TODA A VIDA

Um número crescente de estudos nas áreas da psicologia e da neurociência reafirma a ideia de que uma mentalidade de crescimento é o verdadeiro catalisador das grandes conquistas. Exames cerebrais mostram que nossa mente tem muito mais plasticidade com o tempo do que se imaginou — as características básicas da nossa inteligência podem ser aprimoradas através do aprendizado mesmo em idade avançada. A persistência e a perseverança diante dos obstáculos são a chave para o sucesso pleno numa série de áreas.

Isso é bastante revelador. Quantas pessoas inteligentes e talentosas que você conhece nunca realizam plenamente o próprio potencial por ter uma mentalidade fixa em relação à sua inteligência natural, e por isso pararam de se esforçar quando o sucesso não veio com facilidade?

Estudos realizados por Dweck e sua equipe com alunos de sexto ano buscaram mostrar como o elogio impacta o desempenho estudantil. Tarefas específicas foram dadas a cada grupo, que depois recebeu diferentes elogios pelo trabalho realizado. Parte dos estudantes ouviu coisas do tipo “Você foi esperto ao resolver esses problemas” (o que encoraja uma mentalidade fixa) e outra parte ouviu “Você deve ter se esforçado bastante para resolver esses problemas" (o que encoraja uma mentalidade de crescimento). Depois, foi pedido aos estudantes que concordassem ou discordassem de certas afirmações, como "A inteligência é algo natural, que não dá para mudar". Os estudantes elogiados pela inteligência concordaram muito mais com tais afirmações do que aqueles que foram elogiados pelo esforço.

Em um estudo subsequente, pediu-se aos estudantes que definissem inteligência. Aqueles que foram elogiados pela inteligência disseram acreditar se tratar de uma característica inata e fixa, enquanto aqueles que foram elogiados pelo esforço acreditavam ser algo que pode ser aprimorado através do trabalho.

Em seguida, deu-se aos estudantes a opção de tentar resolver um problema fácil ou um difícil. Aqueles elogiados pela inteligência optaram por resolver o problema fácil, presumivelmente para garantir um desempenho perfeito. Os elogiados pelo esforço optaram pelo complicado, com o qual havia a oportunidade de aprender. Depois, foi passada a todos os estudantes uma tarefa complicada. Aqueles com mentalidade fixa perderam a confiança e o prazer no momento em que esbarraram numa dificuldade, porque isso significava que não possuíam uma inteligência inata. As crianças com mentalidade de crescimento, por outro lado, não perderam a confiança e se debruçaram sobre a questão.

Quando a tarefa foi facilitada, os estudantes elogiados pela inteligência já haviam perdido a confiança e a motivação, apresentando um desempenho geral pior. Já o grupo elogiado pelo esforço melhorou continuamente e teve um bom resultado geral.

Talvez o mais interessante, porém, tenha sido que, quando foi pedido que dissessem anonimamente que nota tinham tirado, os estudantes de mentalidade fixa exageraram as próprias notas em mais de 40% dos casos. A imagem que tinham de si mesmos estava tão associada à nota que tiveram dificuldade em admitir o fracasso, enquanto os de mentalidade de crescimento arredondaram para cima a própria nota em 10% dos casos. Estudos sobre a fraude escolar confirmam que os estudantes de hoje têm uma probabilidade muito maior de colar para obter notas mais altas do que em gerações passadas, reflexo de um aumento da pressão para obter êxito associado, em muitos casos, a uma mentalidade fixa.

Todos achamos que dizer aos filhos como são inteligentes turbina a confiança deles, mas, diante de dificuldades, isso os faz *perder* confiança! Elogiar um estudante por sua inteligência não lhe propicia a motivação ou a resiliência essenciais para obter sucesso, podendo ainda deixá-lo com uma mentalidade fixa vulnerável. Em compensação, o elogio ao esforço ou ao "processo" — o elogio a dedicação, perseverança, estratégia, aprimoramento e assim por diante — promove a motivação e a resiliência. Isso chama a atenção, na cabeça da criança, para aquilo que ela já fez ou que precisa fazer para obter êxito.

Não surpreende que uma matéria do *New York Times* tenha apontado que as empresas estão à procura de gente com mentalidade de crescimento. Como essas pessoas se dão melhor no trabalho em equipe e na solução de problemas, elas são muito mais atraentes para a maioria dos empregadores. Aqueles que acreditam na ideia de talento inato são mais egocêntricos e preocupados em ser a estrela da empresa. Os que conseguem abordar uma tarefa com perseverança e resiliência, envolvendo os colegas com reconhecimento, são os que no fim das contas obterão os cargos mais disputados — chegando ao topo da carreira.

EXEMPLOS DE ELOGIO AO PROCESSO:

"Gostei de como você tentou várias vezes montar o quebra-cabeça. Você não desistiu e encontrou um jeito de encaixar as peças!"

"Deu para perceber que você ensaiou bastante essa dança! Você se saiu bem de verdade!"

"Sinto muito orgulho de você pela maneira como compartilhou o lanche com seu irmão. Fico feliz ao ver os dois dividirem as coisas."

"Era uma tarefa complicada e longa, mas você persistiu e chegou ao fim dela. Adorei a forma como manteve a concentração e não parou de trabalhar. Muito bem!"

1. Pare de enganar a si mesmo
Antes e acima de tudo, seja franco consigo mesmo. Aprenda a olhar com sinceridade para a própria vida. Ser capaz de detectar e definir suas emoções e a forma como você de fato se sente é um marco importante. Ensinar honestidade emocional aos filhos, evitando que enganem a si mesmos, é um presente e tanto. Dar ouvidos e expressar as próprias ideias e emoções genuínas é o que nos mantém no rumo certo na busca daquilo que nos fará felizes na vida. Ser honesto consigo mesmo é a melhor forma de calibrar nossa bússola interior e nos colocar na direção correta.

2. Responda com franqueza
Quando seu filho fizer uma pergunta, dê uma resposta sincera, adequada à idade e ao nível de compreensão dele. A honestidade é importante em todos os aspectos da vida, mesmo os complicados. Do contrário, você solapa a capacidade do seu filho de diferenciar o que é verdadeiro do que é falso. Crianças são ótimos detectores de mentiras e podem ficar vulneráveis ao perceber que você está sendo falso.

3. Use exemplos de sua própria infância
Seja no consultório do pediatra, numa situação complicada ou simplesmente num momento de lazer, crianças adoram ouvir as experiências e sensações de quando você era pequeno, em especial quando são contadas com sinceridade e vêm do coração. Isso proporciona a elas uma compreensão melhor de quem você é e as ajuda a entender que a situação em que se encontram é normal, estejam tristes, felizes ou com medo.

4. Ensine honestidade
Converse com seus filhos a respeito da importância desse valor na sua família. Diga que você dá mais ênfase à franqueza que ao castigo, em caso de mau comportamento. Quando confronta seus filhos em tom acusatório, com raiva ou ameaças, ou quando ado-

ta uma atitude punitiva diante de uma malcriação, eles passam a ter medo de contar a verdade. Se os fizer se sentir seguros, serão sinceros. Lembre: todo mundo, em qualquer idade, tem dificuldade em dizer a verdade ou fazer uma confissão; nem sempre esse processo é encarado com naturalidade. Cabe a nós ensinar nossos filhos a ter a coragem de ser francos e vulneráveis quando necessário. Evite dar lição de moral. Quando bem administrada, a autenticidade na relação se mostra decisiva na adolescência.

5. Leia histórias que abarquem todo tipo de emoção

Não tenha medo de ler uma história para seu filho se o final não for feliz. Tome a iniciativa de procurar narrativas que abordem temas complicados e que não terminem com tudo se resolvendo milagrosamente. A criança aprende muito com a tristeza e a tragédia (apropriadas à idade, é claro), e isso dá margem a uma conexão franca entre vocês a respeito de diversos aspectos da vida tão ou mais importantes quanto saber se o príncipe e a princesa vão acabar juntos. Ser apresentado aos altos e baixos da vida incentiva a empatia, a resiliência e o sentimento de que a vida tem significado pelo qual devemos ser gratos.

6. Elogie o processo

Lembre: no elogio, o mais importante e útil é a qualidade, e não a quantidade. Mantenha o foco no processo ou no esforço, e não nas qualidades inatas da criança. “Você estudou bastante para a prova, deu para notar pela sua melhora.” “Você revisou a matéria várias vezes, fez anotações e resolveu os exercícios. A estratégia deu muito certo!”

Tente criar novos exemplos de elogio ao processo. O treinamento leva à perfeição — quanto mais você praticar, melhor será. Evite dizer: “Você é muito inteligente”. Ao se concentrar no esforço exigido, estará propiciando aos seus filhos as ferramentas necessárias para compreender que o que importa é a perseverança, e não o talento inato. No longo prazo, a autoestima deles será mais elevada por conta disso.

7. Não adote o elogio como resposta-padrão

Não abuse do elogio para coisas fáceis demais: isso pode levar seu filho a achar que só é digno de louvor quando completa uma tarefa com perfeição e rapidez, o que não o incentiva a assumir desafios. Quando, por exemplo, uma criança tira um dez sem muito esforço, experimente dizer: "Acho que essa foi fácil demais para você. Por que não tentamos algo mais desafiador, para que aprenda mais?". O objetivo é não fazer das tarefas realizadas com facilidade a base de nossos elogios.

8. Concentre-se no esforço — e de forma genuína

Tome cuidado ao elogiar fracassos ou equívocos. Dizer coisas como "Bom trabalho!", "Você deu o melhor de si!" e "Da próxima vez você vai conseguir!" pode soar como pena. Concentre-se naquilo que foi realizado e no que é possível melhorar: "Sei que você não atingiu a meta, mas foi por pouco! Vamos treinar mais na semana que vem, esse é o segredo!". Ao se concentrar no esforço exigido pelo aprendizado, criamos uma mentalidade de crescimento, que é útil em todos os aspectos da vida, do trabalho aos relacionamentos.

9. Ensine seus filhos a não se comparar com os outros

A criança precisa se dar conta sozinha de que deu o melhor de si num trabalho ou de que poderia ter feito mais. Ninguém consegue ser bom em tudo, mas pode ser o melhor para si mesmo. Em vez de estimular a rivalidade, essa abordagem promove o bem-estar.

10. Enfatize seu ponto de vista autêntico e individual, assim como o da criança, dizendo "para mim"

Experimente acrescentar "para mim" depois das frases, ressaltando que você entende que seu ponto de vista e o de seu filho são diferentes. Por exemplo, quando você discute com ele porque a comida está muito quente, é importante lembrar que, embora não pareça assim a você, pode estar quente demais para seu filho. Ao dizer "Esse prato não está tão quente para mim", você deixa claro que essa é a sua visão. Ou, em vez de dizer "Não está fazendo tanto frio", você pode dizer "Não está tão frio para mim". O respeito pela experiência individual fortalece a confiança, ajudando a criança a reconhecer e valorizar a própria experiência.

4. L de linguagem

"Ainda está chovendo", disse Bisonho, em tom sombrio.
"É mesmo."
"E está um gelo."
"Está?"
"Está", disse Bisonho. "Porém", acrescentou, animando-se um pouco,
"faz tempo que não acontece um terremoto."
A. A. Milne, *O ursinho Puff*

Jessica, por ser uma americana casada com um dinamarquês, se lembra da primeira vez em que se deu conta de que o marido discordava dela com relação aos filhos. Sempre que ocorria algo negativo, ela tinha tendência a reagir depressa demais. Exasperada, ela erguia os braços. "Ela não obedece! Nunca me escuta!" O marido, por sua vez, tinha mais paciência e uma palavra mágica na ponta da língua para cada situação, o que deixava Jessica espantada. Era como se alguém abrisse a janela num quarto escuro, lançando luz onde parecia ser impossível. O marido conseguia colocar uma situação desagradável sob uma ótica mais positiva, revelando tons de cinza no que aparentava ser preto no branco. O sofrimento ficava mais leve, e a raiva, moderada. Jessica percebeu que seus parentes e amigos dinamarqueses agiam da mesma maneira com os próprios filhos. Que mágica era essa e de onde tinha saído?

Certa manhã, ao ouvir o marido transformar a maneira como a filha encarava o medo de aranhas, Jessica se deu conta da força que essa influência teria sobre o futuro da menina. Enquanto a observava estudando atentamente a aranha com o pai, maravilhada, sem gritar de medo ou dizer "Eca!", Jessica se deu conta de que o método dinamarquês de falar tinha extrema importância. Além disso, atentou para o jeito como a linguagem era usada para criar uma mudança de percepção.

Nossa maneira de enxergar a vida e filtrar nossas experiências cotidianas influencia a forma como nos sentimos. A maioria de nós não percebe que o modo como vemos as coisas é uma decisão inconsciente. Temos a impressão de que nossa percepção é a verdade; mas é só a *nossa* verdade. Não encaramos nossa percepção como uma forma que adquirimos de ver as coisas (muitas vezes absorvida de nossos pais e da nossa cultura). Simplesmente a enxergamos como o jeito de ser das coisas. É através desse "enquadramento" que vemos o mundo, e o que percebemos como verdade nos parece ser a verdade.

Mas e se pudéssemos enxergar tudo de outro jeito? E se desse para pegar a verdade tal como a enxergamos, emoldurá-la de outra forma — com um enquadramento mais amplo, mais aberto — e pendurá-la de novo na parede? Se reavaliássemos esse quadro que chamamos de "verdade", como ficaria?

Imagine que você está numa galeria de arte. Uma pintura está pendurada na parede e um guia mostra alguns detalhes sutis. Você começa a notar coisas que não tinha percebido antes. Elas já estavam ali, mas você não as havia notado porque estava concentrado naquilo que pensava ser o tema do quadro. Você havia chegado à conclusão de que o tom da pintura era negativo. Um homem com cara de mau, uma mulher indefesa, uma atmosfera sombria. Estava a ponto de seguir em frente, mas agora percebe, com a ajuda do guia, que há uma história inteiramente diferente a observar ali. Você nota que, na janela atrás do casal, um grupo de pessoas joviais vem chegando com presentes nas mãos. Um cachorro está mordendo o homem, e é por isso que ele está com aquela cara; e a mulher não está indefesa, apenas quer ajudá-lo. Você não havia percebido uma criança rindo ao fundo e a extraordinária luz que atravessa a janela. No mesmíssimo quadro, existem muitas outras coisas não notadas e que são dignas da sua atenção. Vivenciar essa descoberta e reviravolta mental é empolgante. A partir de agora, você terá uma lembrança completamente diferente daquele quadro, assim como mudará a forma de compartilhar com os outros seus comentários sobre ele. Com o devido treinamento, descobrir essas narrativas diferentes pode se tornar uma habilidade. E o guia que aponta esses roteiros alternativos poderá ser você.

OTIMISMO REALISTA

Você acredita que a liberdade de reenquadrar uma situação estressante — uma questão familiar, um problema de um colega de trabalho, um filho desobediente — pode, de fato, influenciar seu bem-estar? Isso é algo que os dinamarqueses fazem há séculos. Eles ensinam aos filhos essa habilidade inestimável, que os auxilia a ser adultos naturalmente melhores. A maestria no reenquadramento é o pilar da resiliência.

Pergunte a um dinamarquês como ele acha que está o tempo num dia congelante, cinzento ou chuvoso, e ele responderá, sem perceber:

"Menos mau que estou trabalhando!"

"Ainda bem que não estou em férias!"

"Mal posso esperar para passar a noite com minha família no aconchego de casa."

"Não existe tempo ruim, só casaco ruim!"

Tente forçar um dinamarquês a reparar num aspecto verdadeiramente negativo de qualquer assunto, e você vai se espantar com a capacidade que eles têm de dar um viés positivo à conversa.

"Que pena que é o último fim de semana das férias", você poderia dizer, por exemplo.

"Mas é o primeiro fim de semana do resto das nossas vidas!"

E isso não quer dizer que os dinamarqueses exageram na positividade ou usam o reenquadramento para edulcorar a própria vida. Eles não pairam na nuvem de otimismo que costumamos associar às pessoas extremamente bem-humoradas — do tipo "tudo é tão legal e tão maravilhoso" —, que parecem ter um sorriso grudado no rosto e curtem a vida sem parar. Não, os dinamarqueses não fazem de conta que as coisas ruins não existem. Apenas observam, de um jeito bem pé no chão, que existe outro lado que pode não ter sido levado em conta. Eles preferem focar na parte boa em vez de na ruim. Adaptam as próprias expectativas e se atêm às questões mais gerais em vez de ficar prisioneiros de um aspecto da discussão, tendendo à moderação em suas premissas. Os dinamarqueses são aquilo que os psicólogos chamam de "otimistas realistas".

Os otimistas realistas são diferentes dos otimistas exagerados — aquelas pessoas cujas vidas parecem ser tão perfeitas que às vezes soam falsas. O problema com esse excesso de otimismo e positividade é o mesmo que ocorre na outra ponta do espectro, com as pessoas excessivamente pessimistas. Gente negativa demais tende a ignorar informações positivas, o que pode derrubá-las e impedir que identifiquem uma realidade favorável. Pessoas excessivamente otimistas, por outro lado, tendem a ignorar informações negativas, o que pode torná-las infensas a realidades desfavoráveis. É perigoso se enganar, repetindo que está tudo ótimo, que não há problema nenhum, quando na verdade há. Subestimar situações negativas pode resultar num golpe muito mais terrível. Isso está relacionado ao autoengano que discutimos no capítulo 3. Manter o contato com a realidade, focando nos aspectos positivos, é uma atitude muito mais alinhada com o otimismo realista.

Otimistas realistas só filtram as informações negativas *desnecessárias*. Eles aprendem a minimizar os termos e ocorrências negativos e criam o hábito de interpretar situações ambíguas de uma maneira mais positiva. Não enxergam as coisas apenas como boas ou ruins, pretas ou brancas, mas reconhecem a existência de outros tons. Concentrar-se nos aspectos menos negativos das situações e encontrar um meio-termo reduz a ansiedade e aumenta a sensação de bem-estar.

A LINGUAGEM DO REENQUADRAMENTO

Diversas empresas americanas estão capacitando os funcionários a reinterpretar — ou reenquadrar — informações, por considerar que é uma característica fundamental para a resiliência. Em artigo na *Harvard Business Review*, Dean M. Becker, fundador da Adaptiv Learning Systems, afirma: "Mais que a educação, mais que a experiência, mais que o treinamento, o nível de resiliência é o que determina quem vai ter êxito e quem vai fracassar. Isso vale para a ala de pacientes com câncer do hospital, para os Jogos Olímpicos e para a diretoria de uma empresa".

Diversos estudos demonstram que, quando reinterpretamos de propósito um acontecimento para nos sentirmos melhor a respeito dele, a atividade cerebral nas áreas relacionadas ao processamento de emoções negativas cai, enquanto a atividade nas áreas relacionadas ao controle cognitivo e à integração adaptativa aumenta. Em um estudo sobre o reenquadramento, foram mostradas fotos de rostos zangados a dois grupos de voluntários. Foi dito ao primeiro grupo que considerasse que as pessoas retratadas tinham acabado de ter um dia ruim, e que seu semblante não tinha nada a ver com elas. Já aos integrantes do outro grupo foi dito que tinham liberdade para expressar o que quer que as fotos provocassem neles. A conclusão foi que o grupo estimulado a corrigir sua impressão dos rostos zangados não se sentiu nem um pouco perturbado — na verdade, eletroencefalogramas mostraram que o reenquadramento tinha varrido do cérebro os sinais negativos —, enquanto o segundo grupo ficou incomodado com alguns rostos. Nós sentimos aquilo que imaginamos.

Em um estudo realizado por pesquisadores da Universidade Stanford, voluntários com fobias foram expostos a aranhas e cobras. Um grupo foi treinado a reenquadrar a própria experiência; o outro, não. O primeiro mostrou significativamente menos medo e pânico que o grupo de controle e vivenciou uma alteração duradoura na reação emocional e nas exposições posteriores às aranhas e cobras. Isso demonstra os efeitos duráveis do reenquadramento cognitivo.

Portanto, ele não apenas altera nossa química cerebral como altera a maneira como interpretamos dor, medo, ansiedade e sentimentos do gênero. E isso está diretamente relacionado à linguagem que empregamos — tanto em voz alta quanto dentro da cabeça.

OS LIMITES DA LINGUAGEM LIMITADORA

Dizer coisas como "Odeio andar de avião", "Sou péssimo cozinheiro" ou "Não tenho força de vontade; por isso engordei tanto", por sua vez, tem o efeito inverso. "Viajar é ótimo depois que saio do avião", "Tenho que seguir receitas para cozinhar" e "Tenho tentado aliar uma dieta mais saudável ao hábito da caminhada" são maneiras completamente diferentes de ver as mesmas coisas. É menos preto no branco e menos limitante, dando uma sensação totalmente diversa. Linguagem é escolha, afinal de contas, e ela é crucial porque cria a moldura através da qual enxergamos o mundo. Ao reenquadrar o que dizemos em favor de algo mais motivador e menos peremptório, mudamos na prática a forma como nos sentimos.

Não se sabe muito bem de onde vem a tendência dinamarquesa ao reenquadramento. O otimismo realista parece ser uma configuração-padrão do dinamarquês, e esse tipo de escolha de linguagem associado ao reenquadramento é transmitido de geração em geração. A maior parte dos dinamarqueses não se dá conta de que possui esse dom, que já é parte do seu jeito de ser. Estamos convictas de que é uma das razões pelas quais os dinamarqueses são constantemente eleitos os mais felizes do mundo.

COMO O REENQUADRAMENTO FUNCIONA COM OS FILHOS

O reenquadramento, no caso da criação dos filhos, significa ajudar a criança a desviar o foco daquilo que ela acha que não consegue fazer para aquilo que acha que consegue fazer. É preciso ajudar a criança a enxergar as situações de diferentes ângulos, fazendo-a pensar em desfechos ou conclusões menos desfavoráveis. Com a prática, isso pode se tornar uma configuração-padrão — tanto dos pais quanto da criança.

Quando você e seu filho usam linguagem limitadora, do tipo "Odeio isso", "Não consigo fazer isso", "Não sou bom nisso" e assim por diante, estão criando uma narrativa negativa. Pode ser que o roteiro nos faça crer que não fazemos nada direito ou pelo menos que estamos fazendo tudo errado agora. Uma criança a quem contamos o tempo todo histórias limitadoras do tipo "Ele é assim mesmo" ou a quem dizemos como agir ou se sentir em determinadas situações começa a criar estratégias de sobrevivência baseadas na descrença em sua própria capacidade diante de problemas novos. "Ela não é atlética"; "Ele é muito bagunçado"; "Ela é suscetível demais" são frases definidoras. Quanto mais delas a criança ouve, a mais conclusões negativas a seu próprio respeito ela chega.

Uma forma de reduzir esse problema é descobrir uma narrativa diferente para seus filhos — ou simplesmente criá-la. Mostrar um quadro novo, mais amplo ou menos definitivo a respeito de si mesmos e do mundo em volta deles ajuda no reenquadramento. E essa habilidade será transposta ao modo como aprenderão a enxergar e interpretar a vida e as outras pessoas.

Em seu trabalho como psicoterapeuta, Iben trabalha muito com o reenquadramento e algo ainda mais aprofundado: a "reautoria". Ela ajuda as pessoas a olhar para as crenças que têm a respeito de si mesmas e para as crenças que, sem que se deem conta, projetam sobre os filhos. Frases como "Ele é antissocial", "Ela não tem perfil acadêmico", "Ele é fraco em matemática" e "Ela é egoísta" transformam-se em comportamentos que seus filhos procuram compreender e com os quais tentam se identificar. A criança ouve esse tipo de coisa dos pais com mais frequência do que se imagina. No fim, acaba acreditando que deve ser assim mesmo. Quando um comportamento não se encaixa nesse rótulo, ela nem tenta compreendê-lo, porque já assumiu para si mesma a identidade de uma pessoa sem coordenação motora, tímida ou ruim em matemática.

A linguagem que empregamos é extremamente poderosa. É a moldura através da qual percebemos e descrevemos a nós mesmos e a nossa imagem do mundo. Allan Holmgren, um conhecido psicólogo dinamarquês, acredita que nossa realidade é criada pela linguagem que usamos. Assim, toda mudança inclui uma mudança de linguagem. Um problema só passa a ser um problema quando nos referimos a ele dessa forma.

O PODER DOS RÓTULOS

Pois bem, levamos muitos desses rótulos e narrativas para a vida adulta. Uma grande parte daquilo que pensamos sobre nós mesmos quando adultos provém dos rótulos que recebemos na infância — preguiçoso, suscetível, egoísta, burro, inteligente. Pense nisso: o que você pensa em relação a quem é e o quanto disso veio das coisas que lhe disseram na infância? Inconscientemente, muitos de nós passamos o resto da vida buscando estar à altura e nos comparando a esses rótulos. Quando nos livramos deles, abrimos novos caminhos para nós e para nossos filhos.

Pense no quanto é comum ouvir pais falarem dos transtornos dos filhos, embora muitos nem os tenham levado a um psicólogo. É como se fosse perfeitamente natural dizer que os filhos, tanto os nossos quanto os dos outros, têm problemas psicológicos. Timidez virou síndrome de Asperger, não sorrir o tempo todo pode ser sintoma de depressão e ter muita energia virou déficit de atenção com hiperatividade. Certa vez ouvimos, a respeito de uma criança quietinha, que ela tinha transtorno de processamento sensorial. Isso deixou os pais e a menina inquietos, e é muito preocupante, porque rotular uma criança dessa forma, sem um diagnóstico ou sequer uma consulta marcada, pode afetá-la pelo resto da vida.

Dizer de maneira tão leviana que uma criança está com um transtorno psicológico ou neurológico, como quem diz que ela está com fome ou com frio, é errado. Não é apenas um desrespeito com a gravidade e a seriedade do problema que algumas realmente enfrentam, mas é também um rótulo injusto. Quando as crianças ouvem a mesma história ser repetida a respeito delas, começam a se associar a esses rótulos e a tirar conclusões sobre a própria identidade. A narrativa acaba virando a história de vida delas, e é muito difícil fazer com que a esqueçam depois. Portanto, ao dizer e repetir coisas que não queremos para nós mesmos ou para nossos filhos, na verdade estamos incentivando isso. Ao reenquadrá-las, ajudamos a reescrever nosso futuro e o de nossas crianças.

REAUTORIA

Iben dá um exemplo da forma como auxilia adultos e crianças a fazer a reautoria em seu consultório. Quando ela é procurada por alguém infeliz com o rumo de sua vida, tenta conversar sobre a visão negativa que a pessoa tem a seu próprio respeito e se empenha em afastar esses rótulos. Por exemplo, uma paciente disse que ser preguiçosa e dispersiva estava estragando sua vida. Então Iben fez perguntas sobre o tipo de sentimento que esse rótulo despertava nela. A paciente disse que se sentia péssima, principalmente quando se esquecia de alguma coisa, perdia algo ou dormia tarde. Eram comportamentos que reforçavam a sensação ruim. Ser preguiçosa a fazia se sentir fracassada, sem força de vontade. Por isso, toda vez que dizia "Sou preguiçosa e dispersiva", a paciente inconscientemente reforçava esse discurso em sua cabeça, tornando-o ainda mais dominante na própria vida.

Iben passou, então, a usar "linguagem de externalização", que é o discurso que separa uma pessoa de seu problema. A preguiça não é genética — é algo que pode acometer as pessoas em momentos diferentes. Separar o indivíduo do problema o capacita a se sentir como ator efetivo de sua própria vida e combater o problema.

Iben tentou ajudar a paciente a visualizar a preguiça e descrevê-la. É uma nuvenzinha escura? Ela a sufoca? O que sente quando ela aparece? A paciente a descreveu como se fosse algo que a puxasse para baixo. Era como um peso sobre ela, que a paralisava; como um alarme que não conseguia desligar. Quando tentava entender um mapa, tudo parecia nebuloso. Mesmo se quisesse se exercitar, não conseguia. Era algo que a fazia se sentir irresponsável, incapaz, patética.

Em seguida, ambas passaram a conversar sobre o sentimento oposto da preguiça. Sobre aquilo que a paciente valorizava em si mesma. Discutiram como ela gostaria que fosse sua vida se conseguisse sacudir a poeira e dar a volta por cima.

Depois, foram buscar em experiências anteriores uma versão diferente de sua vida. Descobriram que a paciente era extremamente criativa e comunicativa; era divertida e bastante leal. Levava jeito para a música e para a cozinha, e não faltavam exemplos de situações em que não fora nem um pouco preguiçosa. As duas conversaram bastante sobre essas experiências. Assim, em vez de focar na visão negativa da identidade, na ideia de uma pessoa preguiçosa e dispersiva, elas se concentraram nos valores e talentos que queriam "encorpar" em sua narrativa pessoal. Quanto mais focavam na conversa sobre valores e talentos que a paciente apreciava em si mesma, mais positivo e agradável se tornava o roteiro. Aos poucos, ela começou a se definir de outra maneira.

Ela passou a se enxergar criativa, forte e responsável, e começou a sentir que dispunha das ferramentas para reenquadrar seu ponto de vista e suas conclusões a respeito da própria identidade. Com o tempo, sua voz exterior se transformou em sua voz interior. Os problemas passaram a ser simplesmente problemas, e não mais o que a definia, e parecia improvável que ela voltasse um dia a se ver como preguiçosa e dispersiva. O poder daquele discurso definidor era muito maior do que a paciente se dera conta.

Portanto, reenquadrar ou reautorar não é uma questão de eliminar os acontecimentos negativos da vida, e sim de atribuir-lhes menos importância, concentrando-nos em aspectos que nos agradam. Como na pintura do início do capítulo, ao ficarmos abertos a uma mudança, somos capazes de ver um quadro mais amplo e focar nossa concentração em outros detalhes, revelando uma história diferente. Podemos transformar nossa experiência de vida para algo melhor. A mesma coisa vale para nossos filhos. Enquanto adultos, somos os guias que levarão uma história mais positiva e agradável para eles também.

COMO LIMITAR A LINGUAGEM LIMITADORA

Dizer coisas como "Ela é complicada para comer", "Ele odeia ler" ou "Ele nunca escuta" faz com que isso defina quem é a criança. A realidade é que, por trás de cada comportamento, existe um estado de humor ou um sentimento. Não é uma coisa fixa — pode ser cansaço, fome ou irritação. Quanto mais separarmos nossos filhos de seu comportamento, mais mudamos a forma como os enxergamos e, em consequência, como eles se enxergam. Assim, a criança fica sabendo que está tudo bem com ela e que seu comportamento não está associado a seu destino. Como vimos, os rótulos podem se tornar uma profecia autorrealizável.

Às vezes, crianças teimosas podem ser difíceis, mas tente enxergar a coisa de uma perspectiva mais ampla, buscando o que levou a esse comportamento. Em vez de dizer que seu filho é impossível, tente considerar outros lados da questão. Talvez ele não queira comer porque acabou de lanchar e não está com muita fome. Talvez não queira se vestir porque está na idade de testar limites e não entende a importância das meias. Além disso, que outras facetas a teimosia apresenta? Pode ser que se trate de uma criança decidida e muito persistente, com vocação para a liderança. Essas são características poderosas, que podem levá-la longe na vida. Talvez a dispersão possa na verdade vir de uma grande criatividade e da paixão pela arte.

Ao discutir e levar em conta os aspectos positivos de um comportamento desagradável, também estaremos ajudando as crianças a se concentrar numa perspectiva mais positiva. Isso previne disputas de poder e leva a pais e filhos mais contentes.

O MÉTODO DINAMARQUÊS DO REENQUADRAMENTO

Os dinamarqueses, em geral, usam pouco a linguagem limitadora e não ficam dizendo aos filhos como são ou como acham que deveriam se sentir ou proceder em diferentes situações. Não se ouvem muitas opiniões categóricas de adultos sobre as crianças, como "Você tem que parar de ser assim", "Não chore", "Você devia estar contente", "Ele é mau" ou "Da próxima vez você vai ver".

Eles tendem a se concentrar mais no uso da linguagem de apoio, que leva a criança a compreender as motivações de seus atos e emoções. Quando as crianças estão irritadas ou zangadas, por exemplo, os adultos tentam ajudá-las a tomar consciência da razão daquele sentimento, em vez de dizer como deveriam ou não estar se sentindo.

"O que aconteceu?"
"Nada."
"Pela sua cara parece que tem algo errado. Tem?"

"Sim."
"O que é?"
"Sei lá."
"Você está triste? Zangada? Alegre?"
"Triste."
"Por quê?"
"Porque o Gary pegou minha boneca no recreio."
"Ah, ele pegou sua boneca. Por que você acha que o Gary fez isso?"
"Porque ele é malvado."
"Você acha que o Gary é malvado? Ele sempre age assim?"
"Sim."
"Mas na semana passada vocês brincaram juntos, certo?"
"Sim."
"E ele foi malvado?"
"Não."
"Então às vezes o Gary é legal?"
"É. Às vezes ele é legal."

Pais dinamarqueses sabem ajudar os filhos a racionalizar suas emoções, orientando-os no sentido de algo mais construtivo, em vez de estimular pensamentos simplistas ou depreciativos. Esse é o cerne do reenquadramento.

"E o que foi que aconteceu quando ele pegou sua boneca?"
"Eu chorei."
"Então você ficou triste porque ele pegou sua boneca. Dá para entender. O que você acha que pode mudar para não ficar triste da próxima vez que ele pegar sua boneca?"
"Posso mandar o Gary devolver. Ou contar para o professor."
"Acho que mandar o Gary devolver parece uma boa solução. Ele gosta de brincar com boneca?"
"Às vezes."
"Tem alguma outra coisa que dá para você fazer, em vez de pedir de volta?"
"Talvez a gente possa brincar juntos."

"Essa solução parece excelente! A gente sabe que o Gary pode ser legal. Da próxima vez você pode perguntar a ele se quer brincar de boneca com você."

"Sim!"

Em todo tipo de situação é possível encontrar o lado bom das coisas, e não apenas nas relações pessoais. Quanto mais se pratica, mais fácil fica avaliar um cenário e encontrar detalhes escondidos para reenquadrar as coisas de uma maneira mais construtiva. Pode até ser divertido.

Quando uma criança descobrir uma narrativa melhor, experimente repeti-la para que ela a "decore". Mas a solução, no fim das contas, tem que partir dela. É isso que constrói a verdadeira autoestima, porque a criança toma o controle de suas próprias reações emocionais. Não haverá ninguém dizendo a ela como se sentir ou se comportar.

Se nos apegarmos ao lado bom das pessoas, separando os atos do indivíduo, estaremos ensinando a nossos filhos que, quando eles mesmos se comportarem mal, nós os perdoaremos. Imagine se tivéssemos dito que o que Gary fez foi horrível. A criança interioriza isso. Quando nosso filho fizer algo parecido no futuro, vai saber que o condenamos. Se confiarmos nos outros e soubermos perdoar, nossos filhos saberão que também perdoaremos o mau comportamento deles. Se afirmarmos que errar é humano e que é possível ver outros aspectos positivos nas coisas, nossos filhos também serão menos severos consigo mesmos quando errarem.

Outra maneira de reenquadrar é usando o humor. Imagine que você está à beira do campo e acabou de ver seu filho jogar mal uma partida. Ele mesmo diz isso — "Joguei supermal". Uma reação típica pode ser: "Não, você jogou superbem! O gramado estava escorregadio, mas da próxima vez vocês vão ganhar! Não dá para ganhar todas".

O reenquadramento dinamarquês da situação através do humor se parece mais com o seguinte:

"Joguei supermal."

"Você quebrou a perna?"

"Não, mas sou péssimo."

"Mas você não quebrou a perna, quebrou? Tem certeza? (*Você se abaixa para dar uma olhada na perna.*) Bom, pelo menos não quebrou a perna!"

"Hahaha. Eu sou muito ruim. É melhor eu parar. Odeio futebol."

"Odeia mesmo? Você jogou meio mal hoje, mas lembra que semana passada marcou dois gols?"

"Lembro, mas..."

"Lembra a sensação de marcar esses gols?"

"Foi bem legal."

"Você fez até uma dancinha. Odiava futebol naquele momento?"

"Não."

"Isso mesmo. Então lembre como você se sentiu na semana passada e vamos pensar no que fazer para ajudar você a jogar melhor da próxima vez."

"Acho que preciso treinar mais."

"É isso aí. Agora vamos comer uma pizza para comemorar o fato de você não ter quebrado a perna!"

Note que, no exemplo acima, o pai ou a mãe não ignora o fato de que o filho jogou mal. Reconhece isso, mas usa o humor para mostrar quão pior a situação poderia ter sido, além de orientar a criança para a sensação positiva que teve na semana anterior. Isso é ser um otimista realista. Você reconhece os fatos e consegue eliminar os termos desnecessariamente negativos e se concentrar nos sentimentos bons através do humor, ou recordar outro momento em que a sensação foi agradável. Se você optar por enxergar os aspectos positivos de um comportamento qualquer da criança, estará propiciando a ela as ferramentas para lidar com a própria singularidade. É só mudar o enquadramento. E a prática leva à perfeição!

DICAS DE LINGUAGEM

1. Preste atenção na sua negatividade

Fique ligado em seus padrões de pensamento negativo. Procure detectá-los e descobrir com que frequência recorre ao pessimismo no julgamento de uma situação. Tente, como exercício, bolar maneiras diferentes de enxergar as coisas que aborrecem você, tais como medos e preocupações. Procure manter um pouco de distanciamento para buscar uma compreensão diferente das coisas ou uma forma de se concentrar em um aspecto mais positivo.

2. Pratique o reenquadramento

Pense até que ponto suas ideias são realistas e experimente uma nova formulação delas. Pense nas seguintes frases: "Estou gordo e nunca tenho tempo de me exercitar", "Escrevo muito mal", "Minha sogra é chata demais". Agora tente reformulá-las. "Até consigo me exercitar uma vez por semana e estou tentando comer salada no almoço, o que me faz bem." "Não escrevo tão mal quando estou inspirado." "Adoro minha sogra, apesar das nossas diferenças. Ela é uma excelente avó." Pode ser difícil, mas isso tem um efeito na química cerebral, influenciando nosso bem-estar. No começo, pode até parecer meio bobo, mas quanto mais você aprender a reenquadrar, melhor vai se sentir. Tudo aquilo que vemos e dizemos de negativo sobre nós mesmos, nossa família, nossos medos e nossas ansiedades é transmitido diretamente a nossos filhos. Por isso, presenteie-os (e a você mesmo) com o reenquadramento, e isso os ajudará a lidar melhor com os altos e baixos da vida.

3. Use menos linguagem limitadora

Experimente eliminar o preto no branco: "odeio isso, adoro aquilo, eu sempre, eu nunca, eu tenho que, não tenho que, eu sou assim, ela é assado", e assim por diante. A linguagem limitadora deixa pouca margem de manobra e só enxerga as coisas de um ângulo pessoal. Tente usar uma linguagem menos severa e mais neutra. Julgando menos e aceitando mais, você verá que ocorrerão menos disputas de poder com seus filhos e seu parceiro.

4. Separe os atos dos indivíduos

Em vez de dizer "Ela é preguiçosa" ou "Ele é agressivo", tente enxergar essas questões como algo externo, e não inato. "Ela se deixa levar pela preguiça" e "Ele tem rompantes de agressividade" são frases bem diferentes, que não rotulam alguém como "sendo assim".

5. Reescreva o roteiro da criança em termos mais delicados

Faça uma lista das qualidades e dos comportamentos mais negativos de seu filho e formule-os em forma de frase. "Ela não é muito de estudar." "Acho que ele tem déficit de atenção." "Ela é tão teimosa." Em seguida, tente reescrever isso, identificando a fonte desses comportamentos. Por exemplo, a filha que não é muito de estudar pode ser bastante sociável. O filho que supostamente tem transtorno de déficit de atenção com hiperatividade pode ser um baterista fantástico. A criança teimosa talvez seja uma vencedora, que não desiste nunca. Tente focar no lado positivo do comportamento de seu filho, para que ele se sinta amado por sua singularidade, e não rotulado de forma desfavorável. Reformule a visão negativa de identidade a respeito de você mesmo e das crianças e separe o comportamento do indivíduo. Isso dá tanto aos pais quanto aos filhos a capacidade de evoluir e criar narrativas mais delicadas sobre si mesmos.

6. Use linguagem de apoio

Auxilie seus filhos com a linguagem de apoio em substituição à linguagem limitadora. Faça perguntas que os ajudem a identificar as emoções por trás dos atos. Ajude-os a identificar as próprias intenções e as intenções alheias, de modo a aprender a sair de situações complicadas.

7. Use o humor

Crie um laço com seu filho e, com humor, torne os problemas mais leves, ajudando-o a criar distanciamento em relação às coisas. Só tenha o cuidado de não negar os sentimentos ou a experiência real da criança.

5. H de humanidade

As melhores e mais belas coisas do mundo não podem ser vistas nem tocadas. Têm que ser sentidas com o coração.
Helen Keller

Durante muitos anos, Jessica teve uma relação extremamente tensa com a irmã. Quando estavam juntas, viviam de cara feia. Para dizer a verdade, não gostavam muito uma da outra. Jessica achava que a irmã supervalorizava a criação dos pais, enquanto a irmã achava que ela era mimada e egoísta. Os pontos de vista diferentes deixavam as duas na defensiva, sempre receosas, e isso provocava tensão, brigas e um distanciamento cada vez maior, enquanto a esperança de consertar a relação abalada só diminuía.

Quando Jessica reparou no relacionamento de seu marido com o próprio irmão, ela começou a imaginar se não haveria um jeito melhor de agir. Os dois dinamarqueses tinham tantas questões e conflitos quanto as americanas, mas o marido de Jessica sempre focava na compreensão e no perdão em vez de se irritar e ficar reclamando. Assim, apesar das diferenças, os dois irmãos tinham um ótimo relacionamento. Por isso, um dia Jessica teve a ideia de tentar ouvir de verdade a irmã, sem deixar que seus preconceitos funcionassem como um filtro. Ela tentou compreender sinceramente como a irmã estava se sentindo e o que a deixava com raiva. E descobriu que, ao escutar sua irmã como amiga, e não como rival, a coisa mudava de figura.

De súbito, Jessica passou a entender o ponto de vista da irmã e a sentir uma compaixão genuína por ela — e vice-versa. Pela primeira vez, ambas demonstraram preocupação uma com a outra e conversaram como amigas. No período de um ano, o relacionamento melhorou de maneira impressionante, a ponto de hoje elas serem incrivelmente próximas. Enquanto antes as duas se consideravam condenadas ao afastamento, hoje Jessica depende da irmã como em qualquer relação saudável entre irmãos e é grata pela presença dela em sua vida. Foi uma mudança de rota positiva, propiciada pela prática recíproca da empatia.

É impressionante o número de pessoas que desconhecem o significado dessa palavra. "É o mesmo que simpatia? Apatia? Homeopatia? O que é empatia, exatamente?" O que há de mais notável em relação a essa confusão é que, se tão poucos sabem o que a palavra significa, quantos a estão incorporando ao próprio dia a dia? Empatia é a capacidade de perceber e compreender os sentimentos alheios, de sentir o que a outra pessoa sente — não apenas ter pena dela, mas sentir *junto* com ela. Resumindo, é se colocar no lugar do outro. E é bem mais fácil falar do que fazer. Por que é tão difícil? Teria algo a ver com nossa cultura?

Um estudo recente mostrou que a empatia caiu quase 50% entre os jovens americanos desde as décadas de 1980 e 1990, o que é um resultado bastante alarmante. Nesse meio-tempo, o nível de narcisismo dobrou. Trata-se da visão inflada de si mesmo, que tende a separar o indivíduo dos demais e a prejudicar o surgimento de relacionamentos significativos. Uma das características dos narcisistas é que eles focam tanto em si mesmos que perdem a capacidade de se preocupar com as necessidades alheias. Existem diversas teorias que tentam explicar seus motivos, mas nenhuma delas parece ter chegado a uma conclusão definitiva.

Em 1970, foi criado o Indicador de Personalidade Narcisista (IPN). A validade desse índice foi demonstrada por diversos estudos: Jean Twenge e sua equipe analisaram os valores do IPN de estudantes universitários entre 1982 e 2007 e concluíram que, nesse intervalo de 25 anos, o nível de narcisismo sofreu um aumento constante e significativo. Em 2007, quase 70% dos estudantes universitários tinham níveis de narcisismo mais altos que o estudante universitário médio de 1982. Qual seria a causa disso?

O CORAÇÃO DA AMÉRICA: A SOBREVIVÊNCIA DO MAIS FORTE

Durante muitos anos, nos Estados Unidos, acreditou-se que o ser humano, assim como a natureza, é fundamentalmente egoísta, agressivo e competitivo. Isso teria começado com a Revolução Industrial. A estrutura da economia de mercado, assim como os sistemas financeiro, jurídico e político, se baseia, pelo menos em parte, nessa ideia de que um ser humano é sempre colocado contra outro. O "evangelho da cobiça" que prevalece em Wall Street é apenas mais um exemplo que reforça a falta de humanidade. Durante muito tempo, os teóricos do evolucionismo, os políticos e o público em geral enxergaram a competitividade e o caráter impiedoso da seleção natural como o jeito do ser humano, e é isso que está nas bases do individualismo que define os Estados Unidos. Ayn Rand, célebre escritora cuja obra é admirada por muitos políticos americanos, defendia a ideia de que nossa natureza humana é essencialmente egoísta e de que o ser humano está entregue a si mesmo no mundo. Mesmo que você pense que não acredita nessa ideia, a realidade é que se trata de uma crença tão arraigada na cultura americana que na maior parte do tempo não nos damos conta disso. Ela permeia o cotidiano. A concorrência e a luta para ser o número um são parte da definição do que é ser americano.

Refl itamos por um momento sobre as mães americanas que conhecemos. Quantas se abrem e de fato contam o que está acontecendo com os filhos? Quantas têm coragem de se mostrar vulneráveis e admitir que não têm certeza de estar fazendo as coisas do jeito certo? Hoje, a impressão é de que cada vez menos mães conseguem expressar a própria vulnerabilidade, à medida que aumenta a lista de conceitos do que significa ser uma "boa" mãe — conceitos à altura dos quais é preciso estar e segundo os quais é preciso se manter à frente das outras mães, para ser franca. Seja quanto à nutrição dos filhos (amamentação prolongada, alimentação orgânica, sustentável etc.), às atividades extracurriculares (quantas eles estão fazendo e quão bem estão se saindo) ou à educação, existe um sentimento constante de "ganhei de você" até numa simples conversa cotidiana. Evidentemente, essa sensação de concorrência cada vez maior não se restringe à maternidade: ela permeia o discurso em todas áreas. Por mais sutil que seja, se você prestar atenção, ficará surpreso com a frequência com que notará quanta gente tem medo de se abrir de verdade e apresentar vulnerabilidades, por temer ser julgada ou rejeitada. E, por conta desse medo, muitos relacionamentos ficam limitados a superficialidades.

O MEDO DA VULNERABILIDADE E A DESCOBERTA DO CÉREBRO SOCIAL

Brené Brown, uma das principais pesquisadoras no campo da vulnerabilidade, afirma que as pessoas têm medo de parecer humanas porque, na verdade, não querem se sentir deslocadas. De tanto que desejamos nos conectar com a sociedade, tememos dizer algo que possa fazer com que os outros nos rejeitem. No entanto, a vulnerabilidade nos aproxima dos outros. Por isso, passamos dela ao outro extremo do espectro, que é a vergonha. Em vez de usar a empatia para compreender por que as pessoas tomam determinadas posições (amamentar no peito ou não, trabalhar ou não — só para citar duas das principais), nós as detonamos. "Como ela pode sair para trabalhar e deixar o filho com um estranho? Eu jamais faria isso!" "Como ela pode ser dona de casa? Eu nunca aceitaria!" "Como ela fica tanto tempo amamentando? É nojento!" "Por que ela não dá o peito? É tão egoísta!" E assim por diante. Lançamos sobre o outro as tintas grosseiras do julgamento e — tcharã! — todas as nossas decisões passam a ser melhores: viramos, é claro, um pai ou mãe superior, o que dá uma sensação boa. Afinal, damos enorme valor a quem é o melhor. A ironia cruel é que nos sentiríamos muito melhor se vivêssemos numa rede social em que pudéssemos nos sentir apoiados, e não julgados.

O problema de criticar os outros e de lutar para ser o melhor em todas as circunstâncias é que, quando prevalece nosso próprio sentimento de vulnerabilidade, isso nos causa grande desconforto e ansiedade. E o que as pessoas fazem quando têm esse tipo de sensação? A reação mais comum é negar. Comer, ver TV, fazer compras, tomar remédios, consumir drogas e álcool maquiam os problemas e dão a falsa sensação de que está tudo bem. Mas isso não funciona de verdade, por mais que tentemos. Em sua palestra na conferência TED sobre vulnerabilidade, Brené Brown disse, sobre os Estados Unidos: "Somos a sociedade mais endividada, obesa, viciada e medicada do mundo". Isso nos leva a perguntar: e se, em vez de julgar os outros, mostrássemos um pouco mais nossa vulnerabilidade e tentássemos nos humanizar? E se parássemos de almejar uma perfeição que não existe? E se tentássemos nos relacionar mais com os outros?

Pesquisas revolucionárias no campo da neurociência revelaram o que os cientistas estão chamando de "cérebro social" — a região do órgão que é ativada quando participamos de interações sociais. Matthew Lieberman, especialista em neurociência cognitiva social, explica: "Trata-se de uma rede que é ativada como um reflexo e nos leva a pensar sobre o outro, sua cabeça, seu pensamento, seus sentimentos e suas metas. Ela aumenta a compreensão e a empatia, a cooperação e o pensar no outro". Lieberman acredita que desejar o bem-estar do outro é tão inato ao ser humano quanto o egoísmo.

A SURPRESA DO DILEMA DO PRISIONEIRO

Para testar essa teoria, Lieberman bolou um estudo de neuroimagem usando a ressonância magnética funcional (fMRI, na sigla em inglês), que monitorou o fluxo sanguíneo para as diferentes regiões do cérebro, enquanto voluntários realizavam um teste psicológico batizado de Dilema do Prisioneiro.

O teste envolve duas pessoas e uma recompensa de dez dólares a ser dividida entre elas. A quantia que caberá a cada um depende da decisão do outro de dividir igualmente ou não o total. Quando os dois jogadores decidem cooperar, cada um recebe cinco dólares. Quando um coopera, mas o outro não quer dividir por igual o prêmio, o jogador cooperativo não leva nada, e o outro recebe os dez dólares. Quando nenhum dos dois coopera, cada um recebe um dólar. O desafio é decidir o que fazer sem saber qual foi a decisão do parceiro. O mais seguro é não cooperar:

você recebe no mínimo um dólar e no máximo dez. Se você cooperar, corre o risco de acabar sem nada, caso o parceiro não coopere.

Os resultados mostram que, ao contrário da expectativa dos pesquisadores, os jogadores decidem cooperar com mais frequência. Além disso, os resultados da ressonância magnética mostraram que a atividade no corpo estriado (principal centro de recompensa do cérebro) aumentou quando os dois voluntários cooperaram. E o centro de recompensa foi mais sensível à quantia total recebida por *ambos* os jogadores, e não pelo resultado individual de cada um. Isso significa que se obtém mais prazer com a felicidade alheia do que com a própria felicidade! Como explicar isso? Os dinamarqueses sempre tiveram a crença fundamental na atenção à felicidade do outro como elemento crucial para a própria felicidade, e, a julgar pelos resultados dessas pesquisas científicas, eles estavam certos!

A VERDADE SOBRE A EMPATIA

Ao longo da história, a empatia foi considerada uma característica que distinguia os seres humanos, já que se acreditava, em geral, que outros animais não pudessem demonstrar empatia. Mas o famoso primatologista Frans de Waal demonstrou, em seu livro *A era da empatia*, que, na verdade, ela é encontrada em todo tipo de animal. Pesquisas concluíram que existe empatia entre camundongos, macacos, golfinhos, elefantes e outros bichos, embora o público em geral pouco saiba a esse respeito. Isso ocorre porque muitas das diretrizes que nos governam se baseiam na crença de que existe uma “luta pela sobrevivência” na natureza e de que precisamos construir nossa sociedade com base na concorrência e no egoísmo, e não no espectro integral daquilo que representa *ser* humano.

Do ponto de vista evolutivo, a empatia é um impulso de grande valor, que nos ajudou a sobreviver como grupo. O ser humano não teria prevalecido sem solidariedade. Ao contrário do que se costuma crer, a maioria de nós se importa com o bem-estar alheio — e esse impulso só fica adormecido por falta de atenção.

Antigamente, acreditava-se de forma errônea que os bebês nasciam sem capacidade de sentir empatia. Ela é inata em nós — temos apenas que aprender a fazer as conexões em nosso cérebro para que entre em ação.

Essa faculdade habita o sistema límbico cerebral, que controla a memória, as emoções e o instinto. Trata-se de um sistema neurológico complexo, que inclui neurônios-espelho e ínsula. O que muitos não se dão conta é de que temos predisposição biológica a nos conectar com os outros. Isso é possível graças a diversos sistemas neuronais incrustados no hemisfério direito do cérebro, dos quais os neurônios-espelho são uma parte importante. Logo, o "eu" não é uma entidade individual, e sim uma construção relacional.

Daniel Siegel, professor de psicologia clínica na Universidade da Califórnia, afirma: "A empatia não é um luxo, e sim uma necessidade para o ser humano. Sobrevivemos não porque possuímos garras ou presas enormes, mas porque conseguimos nos comunicar e colaborar".

A empatia facilita nossa conexão com o outro. Ela se desenvolve ainda na primeira infância, através da relação com as figuras de apego. Primeiro, a criança aprende a sincronizar suas emoções e humores com os da mãe, depois com os de outras pessoas. O que a mãe sente, o filho sente e espelha. É por isso que coisas como contato visual, expressão facial e tom de voz são tão importantes no princípio da vida: são nossa primeira forma de sentir confiança e apego e de começar a desenvolver empatia.

Além disso, às vezes bebês tentam tranquilizar outros bebês, com chupetas ou bichinhos de pelúcia, ao ouvi-los chorar. Eles reagem ao choro alheio ficando nervosos ou com medo, e alguns começam a chorar também. Podem ainda não compreender a razão do choro, mas com o tempo e a experiência isso muda.

Pesquisas mostram que crianças de dezoito meses quase sempre tentam ajudar um adulto que esteja visivelmente com dificuldade de realizar uma tarefa. Quando o adulto tenta alcançar um objeto, o bebê tenta entregá-lo a ele, ou, quando ele deixa cair alguma coisa, a criança procura pegar e devolver. Em compensação, quando o mesmo adulto atira com força um objeto no chão, o bebê não tenta pegá-lo. Ele entende que foi um ato proposital e que o adulto não quer o objeto. Antes mesmo que lhes ensinem a ajudar ou ter consideração pelos outros — talvez antes mesmo de entender que é uma obrigação —, a criança é menos egoísta do que se costuma supor.

A RESPONSABILIDADE DOS PAIS

Pais e mães têm uma grande responsabilidade, porque são o exemplo primário de humanidade. Eles próprios devem praticar essa empatia, o que pode ser feito pelo uso da linguagem e pelo modelo de comportamento. O foco da criança nos pais é constante, e ela tende a imitá-los. Portanto, aquilo que vivenciarem no lar será crucial para o desenvolvimento dessa faculdade.

Alguns tipos de família podem acabar com a capacidade dos filhos de sentir empatia, como aqueles em que a criança é exposta a abuso físico, psicológico ou sexual. Isso destrói as fronteiras da sanidade, assim como a habilidade de ter compaixão pelo outro. Toda criança que sofre um trauma de apego sofrerá danos na capacidade de sentir empatia.

Outro tipo de família que pode afetar o desenvolvimento da empatia na criança é a superprotetora — pais que têm medo de permitir que a criança fracasse ou sinta emoções fortes, ou que fazem de tudo para evitar conflitos e atender até os menores caprichos da criança. Às vezes os pais superprotetores escondem suas reações lógicas, irracionais e emotivas para "proteger" os filhos, tolhendo a capacidade da criança de "ler" as emoções alheias (porque o que elas veem e sentem não é aquilo que seus pais afirmam), e isso pode reduzir ainda mais a capacidade de desenvolver empatia. Filhos de famílias superprotetoras muitas vezes ficam mais propensos ao narcisismo, à ansiedade e à depressão ao crescer, incapazes de regular as próprias emoções devido à distância entre sentimento e atitude.

Crianças a quem se diz constantemente como se sentir ou se comportar não terão o mesmo desenvolvimento daquelas cujos sentimentos são reconhecidos e às quais se permite expressar um leque integral de emoções. Elas podem se sentir desconectadas daquilo que realmente sentem, o que torna mais difícil uma travessia sadia pelas diversas decisões a tomar durante a vida. Talvez também sintam um vazio e uma insatisfação profundos. Como saber o que queremos se não sabemos como nos sentimos?

Estimular a empatia desde cedo ajuda a criança a construir relacionamentos melhores e mais afetuosos no futuro. E sabemos que eles são a base da felicidade e do bem-estar verdadeiros.

COMO OS DINAMARQUESES ADQUIREM NOÇÕES DE HUMANIDADE?

Existe um programa nacional obrigatório na Dinamarca, aplicado desde o ensino fundamental, chamado Passo a Passo. Nele, são mostradas aos alunos fotos de crianças, cada uma apresentando uma emoção diferente: tristeza, raiva, frustração, felicidade etc. Os alunos debatem essas fotos e expressam em palavras o que a criança está sentindo. Dessa maneira, aprendem a definir seus próprios sentimentos, assim como os dos outros. Aprendem a sentir empatia, solucionar problemas, manter o autocontrole e ler expressões faciais. Uma parte essencial desse programa é que os educadores e as crianças não julgam as emoções que veem. Eles apenas as reconhecem e respeitam.

Outro programa, cada vez mais popular, foi batizado de CAT-kit. É usado para aumentar a conscientização emocional e o nível de empatia. Seu foco é articular experiências, pensamentos, sentimentos e sentidos. Entre suas ferramentas estão cartões com imagens de rostos, réguas para medir a intensidade das emoções e imagens do corpo humano, nas quais os participantes podem desenhar aspectos físicos e localizar as emoções. A ferramenta Meu Círculo possibilita à criança desenhar, dentro de um círculo, amigos, familiares, educadores e desconhecidos em posições diferentes, para procurar entender melhor sua perspectiva.

A Fundação Mary teve um impacto importante no ensino de empatia nas escolas. A princesa Mary, futura rainha da Dinamarca, criou o Livres do Bullying, que foi implantado em todo o país. É um programa no qual crianças dos três aos oito anos conversam sobre bullying e assédio, de modo a se importar cada vez mais uns com os outros. Mais de 98% dos professores disseram que o recomendam a outras instituições.

Outro exemplo menos evidente de ensino de empatia nas escolas dinamarquesas é a forma como crianças com diferentes pontos fortes e fracos da turma são integradas. Estudantes com melhor desempenho acadêmico aprendem junto com os de pior desempenho, crianças mais tímidas aprendem junto com as mais sociáveis e assim por diante. Isso é feito de maneira sutil. Com o tempo, o professor vai conhecendo seus alunos e distribui os lugares de acordo com isso. O objetivo é fazer os alunos verem que todos têm qualidades positivas e devem tentar se ajudar a melhorar. O gênio em matemática pode ser péssimo no futebol, e vice-versa. O sistema estimula a colaboração, o trabalho em equipe e o respeito.

Pesquisas mostram que ensinar algo ao outro melhora muito a curva de aprendizado. Alunos que ajudam colegas se esforçam mais para entender a matéria, lembram-se dela com mais facilidade e a aplicam de maneira mais eficaz. Além disso, também precisam compreender o ponto de vista dos outros para ajudá-los nos pontos em que têm mais dificuldade. Não é fácil adquirir a capacidade de explicar a outro aluno uma matéria complicada, mas essa habilidade tem um valor imensurável ao longo da vida.

Como Iben pôde testemunhar em primeira mão quando trabalhava como professora, esse tipo de colaboração também proporciona um nível mais profundo de felicidade e satisfação. Isso nos traz de volta ao cérebro social e àquilo que vimos nos resultados da ressonância magnética do Dilema do Prisioneiro: ao contrário do que poderíamos imaginar, o cérebro humano registra uma satisfação maior com a cooperação do que com o triunfo solitário.

Por isso, talvez não surpreenda saber que a empatia é um dos fatores mais importantes na formação de líderes, empreendedores, gerentes e negócios bem-sucedidos. Ela reduz o bullying, aumenta nossa capacidade de perdoar e melhora muito as relações e a conectividade social. A empatia atua no fortalecimento dos laços nos relacionamentos, o que, como se sabe, é um dos fatores mais importantes para nossa sensação de bem-estar. Adolescentes empáticos são mais bem-sucedidos porque têm um senso de propósito maior que seus colegas narcisistas. Ninguém tem sucesso atuando sozinho; precisamos do apoio de outros para atingir resultados.

Se nos concentrássemos em ensinar a empatia a nossos filhos, como é feito na Dinamarca, talvez criássemos futuros adultos mais felizes.

A FORÇA DAS PALAVRAS

Knud Ejler Løgstrup, famoso filósofo e teólogo, teve uma grande influência sobre o pensamento dinamarquês. Ele acreditava que os pais tinham a responsabilidade de nutrir a mente dos filhos com mais do que apenas diversão e transferência de conhecimento, devendo estimular também a capacidade de sentir empatia. O filósofo dizia que as palavras que usamos e as histórias que contamos são essenciais para ensinar a nossos filhos como se colocar no lugar do outro.

Quando, por exemplo, os dinamarqueses conversam na frente dos filhos a respeito de outras crianças, é bastante interessante ouvir as palavras que usam. Não é uma escolha consciente — são simplesmente frases-padrão que todos os pais usam quando conversam. Mas o que é de fato impressionante é a tendência a apontar os pontos positivos de cada criança. É muito comum ouvir "Ele é um menino tão gentil, não é?", "Ela é muito educada, não acha?", "Foi muito solícito da parte dele, não foi?" ou "Ele é um garoto legal, não acha?".

O mais notável é como essas escolhas de vocabulário estabelecem a base para enxergar o lado bom nos outros, criando uma configuração-padrão. Ao apontar o que os outros têm de melhor, torna-se natural *enxergar* o que os outros têm de melhor. Confiar em alguém passa a ser algo natural. De fato, é raro ouvir um dinamarquês falar mal de outras crianças na frente dos próprios filhos.

Quando é necessário, os dinamarqueses tentam explicar o comportamento do outro e o motivo de ter agido de maneira desagradável. "Talvez ela tenha pulado a hora da soneca e estivesse exausta." "Será que ele não estava com fome? Você sabe como isso deixa a gente irritado." Eles tentam fazer a criança enxergar como o comportamento do outro pode ter sido afetado por uma circunstância em vez de rotulá-lo como malvado, egoísta ou mal-educado. É a história da linguagem de apoio, já discutida no capítulo 4.

É assim que se começa a desenvolver a capacidade de reenquadrar, porque conseguir imaginar com facilidade que alguém pode estar passando por dificuldades nos torna muito mais aptos a ver o comportamento dessa pessoa sob uma ótica compreensiva. Em vez de atribuir um rótulo negativo numa pincelada genérica, podemos tornar nosso ponto de vista mais leve através da empatia. Assim, também nos sentimos melhor, porque isso poupa muito do tempo que estaríamos gastando com energia negativa.

Løgstrup não estava sendo ingênuo ao supor que a confiança nos outros deve ser sempre recompensada. Ele simplesmente acreditava que ela — assim como outras "expressões soberanas da vida", como a franqueza, o amor e a compaixão — é uma parte fundamental das noções de humanidade. Dizem que mostrar confiança e crédito nos outros significa presentear a si mesmo com esses atributos, e é verdade. Isso pode ser extremamente libertador.

O MÉTODO DINAMARQUÊS PARA ENSINAR EMPATIA

Quando se trata do ensino da empatia, é necessário distinguir a capacidade de senti-la e suas consequências — ou seja, como empregá-la nas relações pessoais. Isso é algo que se aprende, mas exige muito tempo e exemplos positivos da parte dos pais e daqueles que convivem diariamente com a criança.

Vamos dar um exemplo. Lisa está brincando na beira do mar com uma pazinha. Mark, que é menor, quer brincar também, mas ela não deixa. O menino começa a chorar. O que Lisa deve fazer? Muitos pais dariam a pá a Mark por causa do choro. Mas que lição ele aprenderia? É certo dar algo a alguém só porque essa pessoa quer? Uma vez mais, isso seria ensinar a criança a fazer as coisas em função de uma consequência externa, em vez de um raciocínio lógico interno. Lisa está brincando com a pá e sabe que Mark está ficando irritado. Ela precisa que um adulto a ajude a ponderar sobre suas próprias necessidades e limites, para então tomar uma decisão pela qual será responsável. Nesse tipo de conflito, os adultos costumam se compadecer e forçar Lisa a dar a pá a Mark, o que não é certo e não tem nada a ver com empatia. Isso não significa que Lisa não deva aprender a levar em conta o sentimento alheio, mas o importante é ensinar à criança que os pais também têm compaixão por ela, compreendem como se sente e quais são suas necessidades. Isso proporcionará as ferramentas para que ela própria se compadeça verdadeiramente e também ensina a Mark que nem sempre se conquista as coisas chorando.

O que podem, então, fazer os pais de Lisa? Depois de deixar que as crianças encontrem por conta própria uma solução, podem perguntar à menina se ela quer compartilhar o brinquedo. Talvez possam propor um acordo — Lisa brinca com a pá por mais cinco minutos, depois Mark pode pegá-la emprestada, enquanto a menina começa outra brincadeira. Compartilhar e brincar juntos é divertido — quando a criança está a fim. Às vezes não há problema em dizer não, embora aprender a compartilhar também seja essencial.

No longo prazo, esse tipo de lição pode ter um enorme efeito. É importante ensinar a uma criança que ela não será forçada a fazer alguma coisa apenas para acalmar outra ou para facilitar as coisas. Adolescentes que sofrem assédio dos colegas terão mais facilidade em lutar por aquilo que consideram justo se desde cedo aprenderam que seus sentimentos são válidos. Quando criamos nossos filhos com noções de humanidade, eles têm muito mais chances de compreendê-la e praticá-la. Uma bússola interna forte os guia na direção certa.

Outra maneira empregada pelos pais dinamarqueses para estimular a empatia e a humanidade é chamar a atenção dos filhos para as emoções alheias. Não é raro ouvir coisas do tipo:

> "Ei, você percebeu que o Victor está chorando? Você sabe por quê?"
> "Ela parece zangada. O que você acha que aconteceu?"
> "Dá para ver que você está chateada. Consegue me dizer o motivo?"

É muito raro ouvir alguém reagir assim:

"Pare com isso. Você não tem motivo para ficar zangado."
"Ela está com raiva de quê? Isso é ridículo!"
"Não há razão para chorar, então pare!"
"Por que está tão irritado?"
"Você deveria estar feliz!"

Pais dinamarqueses tendem a reconhecer a emoção antes de discuti-la com a criança e procuram se abaixar para ficar na altura da criança para mostrar que estão prestando atenção.

"Dá para ver que você está chateado. Por quê? Porque pegaram seu brinquedo? Ela é só um bebezinho. Acho que não fez de propósito, certo?"

Nem sempre as emoções da criança têm um motivo justo ou uma solução fácil, mas ao admiti-las evitamos julgar e ensinamos muito sobre respeito. Imagine se os estados emocionais dos adultos fossem o tempo todo considerados ridículos, desnecessários ou indevidos, e se alguém nos dissesse como deveríamos nos sentir?

Um dos pilares do método dinamarquês para ensinar noções de humanidade é não julgar: os pais evitam fazer juízos severos demais a respeito dos filhos, dos amigos, dos filhos dos amigos ou da família. Todos os familiares têm o direito de ser ouvidos e levados a sério, e não apenas aqueles que gritam mais alto. Acima de tudo, é necessário ser tolerante consigo mesmo e com os outros.

Lembre-se de que, ao estimular dentro de casa um jeito de ser mais autêntico, mais humano, menos repressivo e mais vulnerável, você estará ajudando seus filhos a crescer sendo menos críticos em relação aos outros — inclusive você.

DICAS DE HUMANIDADE

1. Descubra seu próprio jeito de mostrar empatia

Isso pode ser feito através das seguintes perguntas:

- Para mim, o que quer dizer empatia?
- O que ela significa para meu parceiro?
- Em que concordamos e em que discordamos?
- Quais são nossos valores fundamentais?
- Até que ponto sou muito crítico comigo mesmo e com os outros? Até que ponto meu parceiro é?
- Como nosso modo de falar reflete isso?
- Como posso alterar minha fala para refletir um jeito de ser mais humano e menos crítico? Lembre: não é fácil, mas com a prática você vai melhorar. Tente escutar a si mesmo, em primeiro lugar, para ver como fala dos outros; em seguida, pense em maneiras alternativas de se expressar, de maneira mais humana. Não esqueça que seus filhos imitam você. Ajude seu parceiro a fazer o mesmo.

2. Seja compreensivo com os outros

Pratique a compreensão em vez da crítica. Você vai se surpreender ao notar com que frequência critica as pessoas e a diferença enorme que faz buscar razões para defendê-las, colocando-se no lugar dos outros. É uma forma efetiva de praticar a empatia.

3. Preste atenção nas emoções e tente identificá-las

Ajude seu filho a enxergar as emoções alheias e a vivenciar as próprias sem julgamentos. Diga "Sally estava zangada? Por quê? O que aconteceu? Tem algum palpite?", e não "Ela não tem motivo para ficar zangada e não devia ter feito aquilo".

4. Leia, leia, leia

Pesquisas mostram que ler para os filhos aumenta bastante seu grau de empatia. É importante escolher livros que abarquem todo tipo de emoção, inclusive as negativas e desagradáveis, não apenas os mais leves. Lidar com a realidade de modo franco e autêntico, no nível em que a criança é capaz de compreender, aumenta significativamente a empatia.

5. Melhore as relações que importam

Tente usar a empatia para consertar alguns de seus próprios relacionamentos. Está provado que relações abaladas causam danos físicos e psicológicos. A empatia e o perdão ativam a mesma região do cérebro, o que significa que, quanto mais você afia sua capacidade de mostrar empatia, mais fácil fica perdoar e ser perdoado. Relacionamentos sólidos com a família e os amigos são os fatores mais importantes para determinar a verdadeira felicidade, muito à frente do dinheiro.

6. Assuma sua vulnerabilidade

Tente escutar mais e não tenha medo de ser vulnerável: é a melhor forma de se conectar com o outro. Escute, seja curioso, use metáforas para reagir de forma afetuosa.

7. Busque a empatia no outro

Cerque-se de amigos e parentes que queiram praticar a gentileza e a empatia. Pais jovens estão entre aqueles que mais se beneficiam desse tipo de apoio.

6. O de opressão zero

É melhor conquistar a si mesmo do que vencer mil batalhas.
Buda

Todos já vimos este filme: estamos cansados, nossos filhos não nos obedecem nem nos escutam e, por mais que nos esforcemos, continuam a se comportar mal ou nos irritar, então perdemos o controle. Alguns pais berram, outros ameaçam com castigos ou tirando algum brinquedo, outros ainda partem para a agressão física.

Todos já vimos pais gritando ou batendo nos filhos. Muitas vezes isso decorre da frustração diante de uma criança que não obedece. "Ou você faz isso agora ou vai ver só!", "Se você não parar com isso imediatamente, vai se ver comigo... E não estou brincando!" e "Só vou pedir mais uma vez!" são exemplos do que os pais costumam dizer. Quando um ultimato é anunciado, os pais têm a impressão de que todos os recursos se esgotaram e são obrigados a cumprir o que disseram para recuperar o controle. O resultado são gritos, palmadas ou algum outro tipo de agressão física.

Estudos indicam que 90% dos americanos ainda usam a palmada como forma de disciplinar os filhos. Jessica apanhou na infância, assim como sua irmã. Pais e mães que batem em geral estão apenas pondo em prática a configuração-padrão aprendida na infância, que costuma ter sido bastante agressiva.

Durante muitos anos, Jessica nunca questionou a palmada como método de impor disciplina. Quando chegou ao ensino fundamental, o castigo físico por parte dos professores havia acabado de ser proscrito. Para Jessica, era algo absolutamente normal, e ela nunca sentiu incômodo algum em relação a isso.

Foi só quando ela engravidou do primeiro filho que se deu conta da enorme diferença entre o ponto de vista do marido e o dela. As conversas que tinham sobre a necessidade de impor obediência e o conhecimento cada vez maior da forma como o marido fora criado na Dinamarca a fizeram mudar de opinião. Essa jornada abriu seus olhos.

Durante o trabalho de pesquisa para este livro, descobrimos que o castigo físico ainda é permitido em escolas públicas de dezenove estados americanos. Estamos falando de bater em estudantes com varas ou palmatórias por mau comportamento. Embora isso tenha sido abolido em 31 estados, ainda é permitido nas escolas particulares em todos eles. Isso pode ser uma surpresa para você, mas bater ainda é a regra nos Estados Unidos.

Um estudo de grande alcance realizado pelo Centro de Controle e Prevenção de Doenças (CDC) dos Estados Unidos sobre hábitos de criação praticados pelos pais confirmam que se apela ao castigo físico mais do que se imagina. Foram avaliados cinco grupos culturais diferentes (asiáticos, hispânicos, negros, brancos não hispânicos e indígenas), divididos em 240 grupos focais em seis cidades americanas, e foi demonstrado que todos os grupos admitiam usar, a certa altura, o castigo físico.

As diferenças culturais em termos de quando ou onde ocorriam os castigos é que chamaram a atenção. As mães negras, por exemplo, afirmaram bater na criança na mesma hora da desobediência. Pais e mães brancos e indígenas evitavam fazê-lo em público. Em restaurantes (situação recorrente nos grupos focais), muitos pais brancos disseram levar o filho ao banheiro para aplicar o castigo, enquanto pais indígenas disseram preferir adiar a palmada até chegar em casa. Isso indica que a violência pode ser ainda maior na intimidade.

QUATRO ESTILOS PARENTAIS

Para além da questão do uso ou não do castigo físico, os psicólogos desenvolvimentistas dividem os estilos parentais em quatro:

- *Autoritário*: são pais exigentes e não reativos. Querem obediência e têm padrões elevados — são os "carrascos". Seus filhos tendem a ter bom desempenho escolar, mas em alguns casos sofrem de baixa autoestima, depressão e dificuldades de socialização.
- *Rigoroso*: são os pais exigentes, mas reativos. Estabelecem padrões elevados, mas também sabem dar apoio. Seus filhos têm notas mais altas em medições de sociabilidade e competência intelectual do que os outros.
- *Permissivo*: são pais altamente reativos, mas que raramente exigem dos filhos um comportamento maduro — é a criança que tem que se autorregular. Seus filhos tendem a ter problemas escolares e de comportamento em geral.
- *Distante*: são pais nem reativos nem exigentes, mas que não chegam a ser negligentes. Seus filhos costumam ir mal em todas as áreas.

Costuma-se descrever pais autoritários como pouco reativos e altamente controladores. A reação de um pai ou mãe autoritário, quando o filho pergunta "Por quê?", costuma ser "Porque estou mandando". O filho não é incentivado a perguntar, apenas a fazer como mandaram.

Existem alguns problemas associados à criação autoritária. Primeiro, o excesso de controle pode gerar filhos rebeldes. Segundo, ao não oferecer muito apoio além de "Porque estou mandando", "Ajeite essa meia", "Levante a cabeça" e "A porta da rua é serventia da casa", os pais abandonam a criança à própria sorte no que se refere a controle das emoções, o que, somado ao medo e à vergonha, pode gerar confusão e irritação.

Pais autoritários em geral criam os filhos assim porque é como foram criados e nunca viram problema nisso. E talvez não tenham visto mesmo. Mas se alguém disser que fumou a vida inteira e nunca teve problemas quer dizer que fumar é bom para nós?

A DURA VERDADE SOBRE A PALMADA

Uma análise recente abrangendo duas décadas de pesquisas sobre os efeitos dos castigos físicos sobre as crianças mostrou não apenas que as palmadas não funcionam como podem instaurar o caos no desenvolvimento no longo prazo.

O estudo revelou que, qualquer que seja a idade da criança ou o tamanho da amostra pesquisada, nenhum em mais de oitenta estudos apresentou qualquer associação positiva relacionada ao castigo físico. Nenhum. As associações descobertas foram as seguintes: crianças que apanham podem se sentir deprimidas ou desvalorizadas e ter a autoestima prejudicada. Surras podem acabar saindo pela culatra, pois estimulam a criança a mentir, no desespero de evitá-las. O castigo físico está relacionado a problemas de saúde mental na vida adulta, incluindo depressão, ansiedade, uso de drogas e alcoolismo. Há evidências por neuroimagem de que pode afetar as regiões do cérebro relacionadas ao desempenho em testes de Q.I. e existem dados que sugerem que pode afetar regiões do cérebro relacionadas ao controle do estresse e das emoções.

Pais batem porque acham que isso funciona — e, no curto prazo, talvez tenha efeito. Mas depois se torna bastante ineficaz, porque a criança aprende a escutar só por ter medo. Disputas de poder aumentam distanciamento e hostilidade, em vez de proximidade e confiança. Isso cria ressentimento, resistência e rebeldia (ou submissão, mas com redução da autoestima). Se o mau comportamento continuar depois da surra, qual é o próximo passo? Bater com mais força? Gritar mais alto? Bater um pouco mais? Não surpreende que uma das consequências mais comuns do castigo físico no longo prazo seja a tendência à agressão.

Um exemplo típico: em um estudo realizado por George Holden, especialista em questões parentais, uma mãe bateu no filho pequeno depois de ter levado um tapa ou um chute dele. “Isso vai te ensinar a não bater na sua mãe”, ela disse. Holden, no entanto, aponta: “É incrivelmente irônico”. Imaginem só quantos de nós, como pais, repetimos sem querer esse hábito. Mas será que em algum momento perguntamos a nós mesmos: “Será que gritar e bater o tempo todo de fato adianta?". A verdade é que muitos de nós só chegamos a fazer essa pergunta quando é tarde demais.

Mas o que pensa o povo mais feliz do mundo em relação a gritos, surras e disputas de poder?

Na Dinamarca, bater nos filhos é ilegal desde 1997. A maioria dos dinamarqueses considera extremamente estranho — quase impensável — usar uma surra como forma de educar uma criança. Na Suécia, a proibição ocorreu até antes, em 1979. Hoje, mais de trinta países, incluindo grande parte da Europa, Costa Rica, Israel, Tunísia e Quênia, têm leis semelhantes.

O estilo dinamarquês de criação dos filhos é muito democrático. Situa-se mais próximo do "rigoroso" — ou seja, há regras e normas preestabelecidas que se espera que a criança cumpra. No entanto, os pais são muito reativos às perguntas dos filhos em relação às regras. Os dinamarqueses enxergam as crianças como intrinsecamente boas e reagem de maneira adequada. Por exemplo, uma diferença idiomática interessante entre o dinamarquês e o inglês está na forma de se referir à criança que começa a andar e falar. Em inglês, fala-se em *terrible twos*, os "terríveis dois anos", enquanto em dinamarquês se diz *trodsalder* ("idade das fronteiras"). Para os dinamarqueses, o fato de a criança testar limites é normal e bem-vindo, e não algo incômodo e negativo. Vendo as coisas dessa maneira, é mais fácil aceitar a desobediência, em vez de enxergá-la como algo ruim e passível de castigo.

Quanto a gritar e berrar com os filhos, é algo que raramente se faz na Dinamarca. Uma casa onde todos gritam é, de fato, bastante incomum. Como eles conseguem? Um dos pais que entrevistamos resumiu muito bem: "Antes de tudo, acho que, como pais, temos que permanecer serenos e tentar manter o autocontrole. Afinal, como esperar que nossos filhos se controlem se nós mesmos não conseguimos? Parece injusto".

Isso não significa que os dinamarqueses sejam fracos ou complacentes — longe disso —, mas a firmeza e a gentileza podem substituir a perda de controle que leva imediatamente a disputas de poder e opressão. Evitar isso cria um clima mais pacífico e dá uma sensação de segurança.

Os dinamarqueses esperam que os filhos sejam respeitosos, e o respeito é uma via de mão dupla — controlar pelo medo é problemático por causa disso. Existe uma diferença entre ser firme e aterrorizar. No segundo caso, a criança nem sempre saberá a verdadeira razão pela qual não deve fazer determinada coisa, e vai querer apenas evitar que gritem com ela ou a machuquem. Isso não ajuda a criar um sentimento forte de identidade, que surge do questionamento e da compreensão de quais são as regras e por que elas existem, para então internalizá-las e valorizá-las. Ter medo de uma regra é algo muito diferente. Viver num ambiente hostil, com muita gritaria, tampouco ajuda. No futuro, você não saberá se seu filho está sendo sincero com você — talvez ele só esteja dizendo aquilo que acha que você quer ouvir. O medo é poderoso, mas não gera uma atmosfera de proximidade e confiança. Sua influência será muito mais positiva e seus relacionamentos, mais próximos, se você promover um clima de respeito e tranquilidade, em que não exista o medo da culpa, da vergonha ou da dor.

O fato é que pesquisas mostram que filhos de pais e mães rigorosos têm maior probabilidade de vir a ter mais autoconfiança, sociabilidade, sucesso acadêmico e comportamento adequado. Eles têm menos chances de relatar depressão e ansiedade e de adotar comportamentos antissociais, como delinquência e uso de drogas. De acordo com algumas pesquisas, basta que um dos pais seja do tipo rigoroso para fazer diferença, resultando em crianças mais sintonizadas com a família e menos influenciadas por seus pares. Em um estudo com estudantes americanos, foi apresentada a alunos até o ensino médio uma série de questões morais, que eles deveriam resolver depois. Os filhos de famílias rigorosas tinham maior probabilidade que os demais de dizer que os pais, e não os colegas, influenciariam suas decisões.

A OPRESSÃO ZERO NA ESCOLA DINAMARQUESA

Uma das maneiras pelas quais as escolas dinamarquesas incentivam a democracia é permitindo que os alunos criem as regras em conjunto com o professor. No início do ano letivo, os educadores conversam longamente com eles a respeito daquilo que significa ser uma boa classe e quais os valores e comportamentos que eles acreditam que devem ser seguidos. As regras podem ser qualquer coisa, desde não chegar atrasado até não interromper e respeitar os outros. O importante é que todos decidam juntos o código de conduta, que varia de uma sala para outra. Isso é feito todos os anos, porque os alunos envelhecem e amadurecem, passando a ter um senso de responsabilidade diferente.

Os resultados são impressionantes. Iben recorda que, em certo ano, na classe de sua filha Julie, se alguém falasse alto demais ou interrompesse o tempo todo, a turma inteira tinha que se levantar e dar uma volta na sala, batendo palmas dez vezes, conforme fora decidido no início do ano. Dessa forma, a criança que estivesse falando alto demais sentia ter uma responsabilidade direta também sobre os colegas, não apenas sobre o professor — e essa pode ser uma motivação surpreendentemente forte para parar.

Na Dinamarca, dedica-se muito mais tempo e energia a prevenir problemas em vez de pensar apenas nas punições. A maioria das escolas é equipada com diferentes materiais para lidar com a adversidade. Por exemplo, crianças que sofrem de transtorno de déficit de atenção ou hiperatividade podem se sentar em colchões infláveis, o que as ajuda a se concentrar na aula. Eles têm protuberâncias massageadoras num dos lados que estimulam os músculos posturais, de modo que o aluno se senta mais ereto e conserva o equilíbrio, aumentando inconscientemente a concentração.

As escolas também são equipadas com "kits para inquietos", contendo coisas que mantêm as mãos ocupadas, como bolas de apertar e elásticos, que ajudam na concentração e não atrapalham os demais. Em alguns casos, pede-se à criança que tem excesso de energia ou que demonstra agressividade para dar algumas voltas sozinha, com a intenção de se acalmar um pouco.

Os professores também são treinados a obedecer ao princípio orientador do "*differentiere*", que basicamente quer dizer que eles aprendem a enxergar cada criança como um indivíduo com necessidades específicas. O professor elabora um plano de metas junto com cada aluno e duas vezes por ano faz um acompanhamento de sua evolução. As metas podem ser acadêmicas, pessoais ou sociais. A ideia é que, ao "diferenciar" os alunos, ele possa compreender melhor suas necessidades individuais para agir ou reagir de forma apropriada.

Isso é importante porque, como vimos nos capítulos anteriores, a maneira como decidimos enxergar a criança faz uma grande diferença na maneira de reagirmos a ela. Se a enxergamos como malvada e manipuladora, vai reagir conforme essa visão. Se a vemos como ingênua e cumpridora daquilo que foi programada para fazer, aumenta muito a chance de reagirmos com a intenção de cuidar dela e perdoá-la, ajudando-a em vez de puni-la. É muito mais fácil recorrer à paciência quando se enxergam as intenções inofensivas e a bondade numa criança que parece desagradável. E isso é algo que volta para nós. Gentileza gera gentileza. Calma gera calma. Lembre: a criança não é má, só está se comportando mal. É importante sempre fazer essa separação.

COMO EVITAR DISPUTAS DE PODER

Iben se recorda de quando conseguiu evitar uma disputa de poder com um aluno conhecido por ser "criador de caso". Várias crianças talvez achassem que Iben era complacente com esse aluno, mas ela achava importante evitar tachá-lo como um menino mau e entrar em conflito com ele o tempo todo. Iben sabia que o garoto tinha uma vida complicada em casa e sempre o enxergou como gentil e amoroso. Ele era engraçado e inteligente, e ela decidiu concentrar-se em seus pontos fortes, optando por ignorar o resto, para não reforçar a narrativa negativa que o menino tinha a respeito de si mesmo. Iben falava com ele de modo respeitoso e tinha confiança em sua capacidade de se tornar uma pessoa boa.

Muitos anos depois, ele compareceu a um encontro de ex-alunos, porque sua vida tinha passado por uma transformação total e ele queria agradecer. Embora tivesse lembranças ruins da época da escola, ele se lembrava de que Iben sempre o apoiara e acreditara em seu potencial. O aluno contou que a confiança depositada nele deu forças para que confiasse em si mesmo e se tornasse uma pessoa melhor. Iben ficou profundamente comovida. Foi aí que ela se deu conta da importância de separar o comportamento daquilo que a pessoa de fato é. Confiar e ajudar a criança a se reenquadrar, tratando o comportamento apenas como um comportamento, e não como algo definidor do caráter, ajuda a criar uma narrativa mais afetuosa da própria vida.

Vimos, então, por que uma abordagem mais democrática traz evidentes benefícios para o bem-estar, a felicidade e a resiliência de nossos filhos. Mas como colocar em prática o método dinamarquês da opressão zero?

OLHE-SE NO ESPELHO

Pense nas coisas que você menos gosta de ouvir e se olhe no espelho. É essa a reação que seu filho terá. Se não gosta de berreiro e gesticulação exaltada, não faça isso. Se não gosta de agressões físicas, não agrida.

PARE DE SE PREOCUPAR COM O QUE OS OUTROS PENSAM

Esqueça o que os outros pensam a respeito de você ou do comportamento de seu filho. O estresse adicional causado pela presença de terceiros acaba intensificando os gritos e as ameaças físicas. Quer você esteja na casa de amigos, com a família, num restaurante ou numa loja, comporte-se de maneira compatível com seus valores, sendo autêntico e fazendo aquilo em que acredita. Não se preocupe com a forma como os outros criam os filhos ou com a maneira como sua família acha que você deveria criar os seus. A maioria dos pais simplesmente repete padrões, então, ao fazer uma mudança, você está realizando algo muito maior e mais difícil. Tente criar um grupo de pais que acreditem nos valores do método dinamarquês como você, para que possam apoiar uns aos outros. Confie em seus valores, seja firme nos seus propósitos, e a prova do seu acerto serão adultos mais felizes, resilientes e ajustados.

O método dinamarquês funciona. Caso você se sinta dividido entre ser educado ou brigar na frente dos amigos ou da família por causa de uma disputa de poder na hora da comida, não compre a briga. Respire, mantenha a calma, reflita. Use o humor. Proponha uma solução. Não se preocupe com o juízo que um amigo possa fazer de você ou de seus filhos. No longo prazo, suas crianças serão mais felizes e sadias, e é isso que importa.

RELAXE E LEMBRE-SE DO QUE IMPORTA

Conheça a diferença entre uma batalha e uma guerra. Não entre em qualquer disputa. Será que é tão importante que a roupa e o cabelo do seu filho estejam perfeitos o tempo todo? Será que ele não pode mesmo usar aquela camiseta do Batman de novo? Será que é necessário lavar o prato no mesmo instante, só porque você pediu? Ou experimentar o espinafre? Vale a pena? É isso que você tem de analisar e resolver com seu parceiro: o que é importante cumprir e em quais momentos. Talvez a melhor hora não seja na casa dos amigos ou no restaurante. Que regras de fato importam e em quais momentos você pretende educar seu filho? Pergunte a você mesmo se ao fazer uma cena em público está sendo respeitoso consigo mesmo e com a criança. Você tem que ser coerente com aquilo que defende, mas não está criando um soldado. Lembre: crianças passam por fases em que não querem fazer/ comer/ vestir/ dizer certas coisas. Quando crescem, isso passa. Se você for firme no que realmente importa, elas vão entender. O jeito certo de atravessar esses períodos sem perder a compostura é ter paciência e manter o foco no que é importante.

Durante um tempo, a filha de Jessica não aceitava vestir casaco e meias. Era irritante, mas o único jeito era sair de casa com ela sem casaco e meias até que a menina percebesse que estava com frio e precisava deles. Levou algum tempo, mas essa fase passou. Em outra época, ela não cumprimentava as pessoas. Quando diziam "oi", ela olhava para o outro lado. Jessica sempre a recriminava, mas não forçava nada. Depois de seis meses, ela começou a cumprimentar sem que pedissem e não parou mais. Crianças também testam a si mesmas. Quando a coisa vira uma disputa de poder, todos saem perdendo e a vida se torna mais chata do que deveria. Se você mantiver a calma, seus filhos também manterão.

EXEMPLOS DE OPRESSÃO ZERO: COMO ACHAR UMA SAÍDA

A criança começa a atirar para longe um objeto que você não quer que ela atire.

A reação típica é: "Pare com isso! Se jogar mais uma vez, vai ver só!".

Pegue dela o objeto. Desvie sua atenção. Tire a criança dali. Use o humor. Quando for dizer "não", tenha calma. Exclame "Ai!", como se o objeto tivesse acertado você, e devolva-o. Se a criança o atirar de novo, mostre-o de novo, balançando a cabeça com a cara chateada. Repita: "Ai!". Pode ser que ela não entenda na primeira vez, mas com o tempo passará a compreender.

Bater ou morder é inaceitável. Nesses casos, você deve ser decidido, segurar a criança e dizer "não", com firmeza. Faça com que olhe para você, peça desculpas e faça um carinho, para que aprenda desde cedo o arrependimento e a inutilidade da violência. Lembre: é preciso fazer isso de imediato, porque a criança esquece numa fração de segundo o que fez. Você precisa lidar com esse comportamento na hora, de maneira direta. No começo, ela pode não estar arrependida, mas com o tempo, à medida que sentir mais empatia, entenderá do que se trata.

HORA DA COMIDA E DAS DISPUTAS DE PODER

Em geral, a criança reage à alimentação conforme a fome. Se comeu um pouco mais no período da tarde, por exemplo, não vai sentir muita fome à noite. Outras vezes, a fome pode ser um sinal de que é preciso regular a glicose no sangue para que se sinta melhor. Neste último caso, a glicemia certamente afetará o comportamento da criança. Agir com empatia ajudará a compreender a razão desse comportamento e a reagir de forma adequada. Ser compreensivo, em vez de ficar zangado, já é um bom começo. Imagine como você se sentiria em situação semelhante — com muita fome ou saciado — e tome isso como ponto de partida.

Tenha sempre em mente o seguinte: ensinar uma criança a gostar de comer e a respeitar a comida é um imenso presente. É o alimento que nos sustenta, e ter uma relação sadia e amorosa com ele pode levar a uma vida inteira de felicidade. Avalie sua própria relação com a comida e certifique-se de que ela é a melhor possível. A hora da refeição, afinal de contas, precisa ser um momento agradável de socialização familiar.

Ponha um pouco de tudo no prato da criança e deixe-a comer o que bem entender. As situações que envolvem comida têm que ser, acima de tudo, agradáveis e prazerosas, e não marcadas por tensão ou focadas na obrigação de a criança comer. Quem não perde o apetite em tais condições?

Se você der muita importância à coisa, ela vai realmente ter muita importância. A comida está disponível — se a criança quiser, pode pedir mais. Não somos obrigados a gostar sempre da comida que nos servem nem a raspar o prato ou provar coisas de que não gostamos. Às vezes isso acontece, mas nem sempre é o caso. Dê uma possibilidade de escolha à criança. Ela vai respeitar as regras se as descobrir por conta própria. Não se esqueça de que você serve de modelo.

Diminuir a tensão tira o peso das situações, em particular na hora de comer. Lembre: também em relação à comida seu filho passará por fases. Propiciar opções saudáveis nas refeições, cortar os lanchinhos pouco nutritivos e tornar a hora de comer prazerosa — e não um campo de concentração — ensinará a seu filho que esse é um momento agradável para curtir.

Para incentivar as crianças a comer, os pais dinamarqueses costumam dizer: “Para ficar grande e forte é preciso comer isso. Você quer ser grande e forte?”. Eles pedem à criança para mostrar o muque e afirmam que a força vem dos vegetais e dos alimentos saudáveis. Funciona mais do que você imagina!

EXPLIQUE AS REGRAS E FAÇA PERGUNTAS

"Ponha o cinto."
"Não quero."
"Lembra por que falei para pôr?"
"Não."
"Porque se o carro bater você pode se machucar e ir parar no hospital. Você quer ir para o hospital?"
"Não."
(Seja firme e prenda o cinto.)

Quanto mais você explicar as coisas de um jeito que a criança entenda, melhor. É uma abordagem que gera respeito e coloca vocês dois do mesmo lado, partilhando um objetivo comum (nesse caso, sair de carro).

COMO COMEÇAR

1. Elabore um planejamento
Quais são seus valores em relação à criação dos filhos? Pense nos do seu parceiro também.

2. Você dá tapas ou palmadas?
Se for o caso, comprometa-se a parar. É desnecessário e não estimula nem a confiança nem o respeito.

3. Você grita demais?
Se for o caso, comprometa-se a parar. Só recorra a essa ferramenta quando for indispensável. Ninguém gosta de gritos. A criança se espelha em você. Se quiser que se comporte e tenha autocontrole, precisa dar o exemplo.

Como evitar gritos e palmadas? Encontre maneiras de reduzir seu próprio estresse. Durma mais. Respire fundo. Faça exercícios. Tire um tempo para você. Gritos e agressões costumam ocorrer antes que a pessoa tenha tempo para refletir e tomar uma decisão melhor.

Quando você se sentir a ponto de explodir, respire fundo. Saia da sala e tome um ar. Se puder deixar seu parceiro lidar com o problema, faça isso. Procurem entrar em sintonia quanto à importância de não bater ou gritar e tenham sempre bem claro aquilo que vocês querem ou não querem que os filhos façam. Essa aliança é fundamental. Ela também permite que você controle melhor as explosões do outro. Por isso, se estiver no seu limite, peça calmamente ao parceiro que assuma o comando. Em muito pouco tempo você começará a ver que o comportamento de seus filhos será mais tranquilo.

DICAS DE OPRESSÃO ZERO

1. Lembre-se de separar a criança de seu comportamento
Não existem crianças más, e sim comportamentos ruins. Assim como existe criação ruim.

2. Disputas de poder
Quem não procura não acha. Procure pensar em uma saída boa para todos, em vez de se concentrar em ganhar a briga.

3. Não ponha a culpa na criança
Assuma a responsabilidade e procure agir diferente da próxima vez.

4. Procure perceber a bondade inerente à criança
É normal que as crianças testem limites e desafiem as regras, mas isso não quer dizer que sejam más ou manipuladoras. É dessa forma que elas amadurecem.

5. Ensine seus filhos
Oriente-os, cuide deles, eduque-os, em vez de simplesmente puni-los e achar que precisam de mais castigos. Busque alternativas para lidar com comportamentos difíceis. Não rotule as crianças como “malcria-

das", "manipuladoras" ou "difíceis". Palavras têm poder. Um comportamento é apenas um comportamento — não define seu filho.

6. Reenquadre

Busque a melhor narrativa para seus filhos e qualquer outra pessoa. Aprender a reenquadrar e ensinar seus filhos a fazer isso torna todos mais afetuosos e felizes.

7. Lembre: a vida dá voltas

Gentileza gera gentileza. Maldade gera maldade. Descontrole gera descontrole. E calma gera calma.

8. Envolva seu parceiro

Segundo estudos, basta que um dos pais siga o estilo rigoroso (e não autoritário) e mantenha a calma. Mas se os dois agirem assim é ainda melhor!

9. Analise seus ultimatos

Ponha no papel todos os ultimatos que você costuma dar aos filhos. Dá para compará-los com aqueles que seus pais usavam? Como você pode transformá-los em algo mais positivo?

10. Leve em conta a idade da criança

O que você pode esperar de seu filho, considerando quantos anos ele tem (ou sua zona de desenvolvimento proximal)? Toda idade tem um "tema" correspondente à expectativa em relação a ela. Crianças não são adultos pequenos.

11. Aceite todo tipo de sentimento

Reconheça as emoções de seu filho, independente do estado de espírito que deseja. Não importa o que as outras pessoas vão pensar dele. Todo mundo tem um dia ruim de vez em quando, até mesmo as crianças. Se conseguir não se estressar com isso, você chamará menos a atenção para a questão e respeitará a capacidade da criança de se controlar.

12. Um protesto é uma reação a alguma coisa

Lembre-se de que protestar é uma forma de comunicação, e não de aborrecimento. Também pode ser um sinal de independência.

13. Contextualize o mau comportamento

Houve alguma mudança na vida de seu filho que pode estar provocando uma mudança de comportamento?

14. Saiba o que tira você do sério

É importante conhecer quais são seus "gatilhos". O que faz você explodir e o que pode fazer para não chegar a esse ponto? Você precisa de mais sono, de descanso, de exercícios? Preste atenção às suas necessidades e peça ajuda.

15. Mostre que está disposto a escutar

Certifique-se de mostrar a seu filho que o escuta. Por exemplo, quando ele pedir alguma coisa, é importante demonstrar que foi ouvido e compreendido — mesmo que não seja possível atendê-lo. Repita o pedido, para que saiba que você escutou. "Eu sei que você quer um pirulito, mas..." Explique o motivo quando puder atendê-lo. Ser respeitoso e ensinar respeito é a melhor maneira de ser respeitado.

7. S de socialização

Times bons se transformam em grandes times quando seus integrantes confiam o bastante um no outro para trocar o "eu" pelo "nós".
Phil Jackson

Quando Jessica foi apresentada à família do marido, na Dinamarca, e se hospedou na casa deles pela primeira vez, treze anos antes de escrevermos este livro, foi uma experiência no mínimo avassaladora. *At hygge sig*, ou *hygge* (pronuncia-se "ruga"), que significa literalmente "divertir-se juntos", é um estilo de vida para eles. Acendem velas, jogam jogos de tabuleiro, cozinham refeições agradáveis, tomam chá com bolo — enfim, aproveitam a companhia um do outro numa atmosfera aconchegante. Era uma família enorme, que se reunia por dias a fio, só para se divertir em conjunto. No início, Jessica achou essa reunião familiar um tanto esquisita. Mas, depois de treze anos estudando o fenômeno, finalmente descobrimos o segredo do *hygge*.

Por ser americana, Jessica tinha uma família bem diferente. Via de regra, eles só se encontravam por curtos períodos, e depois sentiam necessidade de ficar um tempo afastados — respeitosamente, claro, porque tinham consciência de que o afastamento era parte de seu estilo de vida. Para os americanos, estar em família durante um longo e ininterrupto período seria quase uma violação dos direitos individuais. Além disso, soaria como uma receita para o desastre. Na verdade, Jessica não conseguia entender como as famílias dinamarquesas eram capazes de ficar juntas por tanto tempo sem que ocorresse alguma crise. Com certeza, com tantos parentes e agregados reunidos, os problemas apareceriam, ou no mínimo a tendência neurótica de alguém viraria alvo de fofoca. Mas parecia haver pouquíssima negatividade e nenhuma reclamação. Apesar do grande número de pessoas reunidas, a coisa funcionava como uma engrenagem bem azeitada. O que, afinal, estava acontecendo?

Será que essa diversão conjunta estaria relacionada ao motivo de os dinamarqueses serem sistematicamente eleitos o povo mais feliz do mundo? A resposta é um enfático sim!

Pesquisas mostram que um dos principais medidores do bem-estar e da felicidade é o tempo bem gasto com os amigos e a família. No nosso mundo contemporâneo, esse convívio nem sempre é possível, mas o método dinamarquês incorpora o *hygge* à vida cotidiana para suprir isso.

O *HYGGE* COMO MODO DE VIDA

A palavra "hygge" tem sua origem no século XIX e deriva do alemão *hyggja*, que significa "sentir-se satisfeito". É uma virtude, um motivo de orgulho e um estado de espírito ou humor. O *hygge* é algo que os dinamarqueses identificam tanto nas atitudes quanto no jeito de ser, e é parte de sua base cultural.

Como eles encaram o *hygge* como um estilo de vida, todos tentam engendrar oportunidades para se divertir com a família e os amigos. No Natal, por exemplo, os dinamarqueses se unem para garantir o máximo de conforto possível, num trabalho em equipe. Isso inclui coisas como tornar o clima mais acolhedor com velas e boa comida, mas também o próprio jeito de ser. Todos tentam ajudar, de maneira que ninguém sinta que está fazendo todo o trabalho sozinho. As crianças maiores são incentivadas a ajudar as menores e a brincar com elas. São realizados jogos atrativos para qualquer faixa etária e todos se esforçam para participar, mesmo que não estejam com muita vontade. Ficar de fora do jogo não seria *hyggeligt*, ou seja, não seria simpático. As pessoas deixam os problemas pessoais de lado por um tempo, mantêm-se animadas e evitam criar discórdia, porque todos valorizam o momento e querem que ele transcorra bem. Temos tempo de sobra para nos preocupar com a vida e com aquilo que nos estressa, e a felicidade vem da capacidade de deixar isso um pouco de lado e aproveitar o tempo ao lado das pessoas que amamos. Compartilhar uma experiência calorosa e agradável é o maior objetivo dos dinamarqueses, e acreditamos que esse é um grande exemplo a passar para nossos filhos.

Sentir-se conectado aos outros traz significado para a vida, e é por isso que os dinamarqueses dão tanto valor ao *hygge*. Eles também valorizam a individualidade, mas sabem que, sem o apoio dos outros, ninguém consegue ser totalmente feliz.

O FUNDAMENTO AMERICANO

A ideia de socialização, se pensarmos bem, difere muito da natureza individualista que compõe boa parte da identidade americana. Os Estados Unidos foram erguidos com base em uma filosofia da autonomia individual. Não precisamos dos outros se formos fortes o bastante para ter êxito sem ajuda. Por que depender de ajuda se podemos fazer sozinhos? Os americanos glorificam os feitos individuais e a realização pessoal, usando termos como self-made man, e idolatram heróis em todos os setores da vida, da política à sociedade, passando pelo esporte. Quando se assiste a um jogo, pouco se fala de trabalho em equipe; em vez disso, é o indivíduo que se destaca, o quarterback do futebol americano ou o arremessador do beisebol. É a estrela que brilha mais que o restante. Os jogadores que dão assistência ao craque desaparecem, não passam de coadjuvantes. O que mais admiramos é o trabalho duro e a sobrevivência do mais forte. Por isso, somos educados para ser a estrela, o vencedor. Geert Hofstede, psicólogo cultural mundialmente conhecido, concluiu, num estudo famoso sobre diferenças culturais, que os Estados Unidos possuem o mais elevado grau de individualismo no mundo. É algo inacreditável. Estamos tão programados para pensar no "eu" que nem nos damos conta disso.

Não queremos dizer, de modo algum, que não existe um fortíssimo espírito comunitário nos Estados Unidos. Estamos apenas observando, do ponto de vista cultural, que somos programados para pensar de maneira mais individualista. Durante um encontro de família, por exemplo, é bem mais comum pensar em como *eu* me sinto do que em como *nós* nos sentimos. Usamos muito as expressões "tempo para *mim*" e "atender *minhas* necessidades".

Além disso, é justo dizer que a maioria de nós gostaria de ser um "vencedor". Gostaríamos que nossos filhos também o fossem, ou, pelo menos, que se destacassem como os melhores em alguma coisa. Isso é absolutamente normal. Quem não quer? Basta ver o número de prêmios que as escolas concedem pelas mais variadas e criativas razões. Seja pela piada mais engraçada, pelo sorriso mais bonito ou pela maior habilidade de pular corda, todos lutamos para obter reconhecimento por alguma coisa. Isso constitui o tecido da cultura americana.

Em compensação, quantos de nós pensaríamos em conceder um troféu ao mais "harmonioso" do grupo? Quantos mediríamos o sucesso dos filhos não por terem jogado bem, mas por terem ajudado os outros a jogar ou pelo papel que tiveram *dentro* do time?

TROCANDO "EU" POR "NÓS"

O conceito de socialização e *hygge* acarreta muitas consequências, mas representa, essencialmente, abrir espaço para o bem comum: é deixar o drama de lado e sacrificar suas necessidades e desejos individuais em nome de um encontro mais agradável com o grupo. É uma experiência muito interessante para transmitir aos filhos. Eles odeiam dramas de adultos, negatividade e divisionismo. Crianças adoram estar juntas e se divertir. Se elas aprenderem o *hygge*, vão passá-lo adiante um dia com seus próprios filhos.

Há uma fábula conhecida sobre o céu e o inferno que acreditamos ilustrar bem essa ideia. No inferno, há uma mesa comprida, com um maravilhoso banquete repleto de comidas, vinhos e velas, mas predomina um sentimento de desânimo. As pessoas em volta da mesa estão abatidas e pálidas, e no salão só se ouvem gritos e choro. Em vez de braços, as pessoas têm gravetos, que não permitem que a comida seja levada à boca. Por mais que se esforcem, é inútil. Apesar da mesa farta diante de seus olhos, todos passam fome.

No céu, a cena é bem parecida. Também há uma mesa comprida com um banquete e velas, mas a mesa está rodeada de pessoas sorridentes e animadas, que cantam e comem. A atmosfera é calorosa e vívida. Todos desfrutam da comida, do vinho e da companhia. O irônico é que elas também têm gravetos no lugar dos braços. Em vez de alimentarem a si mesmas, umas alimentam as outras. Nessa metáfora simples, uma mudança de ponto de vista — a troca do "eu" pelo "nós" — transformou o inferno em céu.

O TRABALHO DE EQUIPE NA DINAMARCA

Desde cedo, os dinamarqueses participam de projetos coletivos que os incentivam a ajudar os outros e a trabalhar em equipe. As crianças aprendem a buscar os pontos fortes e fracos dos colegas para ver como podem ajudar, indo além daquilo que se enxerga superficialmente. Os dinamarqueses também incentivam os melhores alunos a ser humildes e atenciosos com os outros, demonstrando empatia. Preocupar-se apenas consigo não é *hyggeligt*. Os dinamarqueses são conhecidos mundo afora por saberem trabalhar bem em grupo: eles ajudam os outros a se ajudar e são humildes mesmo quando são as estrelas. Quem não admira um astro que demonstra ser humilde?

Grupos sociais também são um componente importante da vida dinamarquesa. Chamados de *foreningsliv*, que significa "vida associativa", esses grupos são centrados em determinado hobby ou interesse. Seus objetivos podem ser econômicos, políticos, acadêmicos ou culturais, como tentar transformar alguma coisa na sociedade ou atender às necessidades sociais de seus integrantes, como corais ou clubes de bridge. As estatísticas mostram que 79% dos líderes empresariais dinamarqueses participavam ativamente de alguma associação antes dos trinta anos. Cerca de 90% dos gerentes com essa experiência acreditam que o período de engajamento foi benéfico para a sociabilidade e as relações interpessoais, proporcionando-lhes uma poderosa rede de contatos. Noventa e nove por cento dos governantes dinamarqueses acreditam que a participação nessas associações aumenta a habilidade profissional dos jovens.

A cooperação e o espírito de equipe estão presentes em todos os aspectos da vida na Dinamarca — da sala de aula ao escritório, passando pela família. Aliás, enxergar a família como um "time" incentiva um sentimento profundo de pertencimento. Cozinhar ou arrumar a casa juntos e encontrar tempo para desfrutar da companhia do outro são formas cotidianas de promover uma sensação de bem-estar na família.

CANTO E *HYGGE*

Uma maneira interessante que os dinamarqueses inventaram para propiciar o *hygge* é através do canto. Da ceia de Natal às festas de aniversário, passando pelos batizados e casamentos, a chance de a família toda cantar junto é grande.

As letras muitas vezes são escritas especialmente para a ocasião em cima de uma melodia popular. Elas costumam ser engraçadas, e todo mundo vai descobrindo os versos à medida que cantam juntos o texto que lhes foi entregue. Outra possibilidade é tirar as canções de um cancioneiro chamado *Højskolesangbogen*. A tradição do canto no país remonta aos banquetes da nobreza e da aristocracia, no final da Idade Média, e continuou a ser cultivada ao longo do tempo, fazendo-se hoje mais presente do que nunca.

Nick Stewart, pesquisador da Universidade Oxford Brookes, estudou cantores de coral e concluiu que cantar em grupo torna as pessoas mais felizes e as faz ter a impressão de que pertencem a uma associação com significado. A sincronia do movimento e da respiração durante o canto cria um forte sentimento de conexão. Além disso, pesquisas concluíram que o batimento cardíaco de membros de corais chega inclusive a sincronizar quando eles cantam. Cantar em grupo libera o "hormônio da felicidade", oxitocina, que reduz o estresse e aumenta a sensação de confiança e união. Basta experimentar (deixando a vergonha de lado) para vivenciar esse poderoso efeito.

VÍNCULOS SOCIAIS E NÍVEL DE ESTRESSE

O nível de felicidade dos dinamarqueses não é a única prova da eficácia da socialização promovida pelo *hyggelige*. Diversas pesquisas confirmam isso. Pesquisadores da Universidade Brigham Young e da Universidade da Carolina do Norte em Chapel Hill compilaram dados de 148 estudos que fazem a correlação entre relacionamentos sociais e melhora na saúde. Reunidos, esses estudos, que abrangem mais de 300 mil pessoas em países desenvolvidos, mostraram que aqueles que apresentavam poucas conexões sociais tinham, em média, 50% mais chance de morrer antes (cerca de 7,5 anos) do que aqueles com vínculos sociais robustos. Essa diferença de longevidade é aproximadamente a mesma que entre fumantes e não fumantes e é maior do que a associada a muitos outros fatores de risco conhecidos, como sedentarismo e obesidade.

Em outra experiência famosa relacionando saúde e laços sociais, Sheldon Cohen, da Universidade Carnegie Mellon, expôs centenas de voluntários saudáveis, que haviam preenchido questionários detalhando sua vida social, ao vírus da gripe comum. Depois, manteve-os em quarentena. Os resultados indicaram que os participantes com mais relações sociais tinham menor probabilidade de desenvolver a gripe que aqueles que levavam uma vida mais isolada.

O sistema imunológico das pessoas que têm muitos amigos simplesmente funcionou melhor, e elas puderam combater o vírus da gripe com mais eficiência, muitas vezes sem apresentar qualquer sintoma. Como os hormônios do estresse parecem ter um efeito sobre a resposta imunológica, faz sentido que uma vida social intensa ajude o organismo a se manter forte, controlando o estresse fisiológico.

Um grupo de pesquisadores de Chicago estudou esse efeito e confirmou: apoio social de fato ajuda a gerir o estresse. Quando dispomos de pessoas com quem podemos conversar ou a quem podemos recorrer em momentos difíceis, ficamos mais propensos a encarar os desafios da vida sem ceder e nos tornamos mais resilientes. Mostrar-se vulnerável ajuda a aliviar o fardo do estresse que carregamos. Tem muita gente que faz de tudo para guardar os problemas para si, mas pesquisas mostram que quem tenta bancar o durão diante de uma tragédia sofre por muito mais tempo que aqueles que mostram suas emoções e reconhecem suas vulnerabilidades diante dos outros.

MÃES DE PRIMEIRA VIAGEM E O MÉTODO DINAMARQUÊS DE SOCIALIZAÇÃO

O efeito calmante da socialização pode ser particularmente percebido em mães de primeira viagem, que sofrem uma enorme carga de estresse enquanto se ajustam a seu novo papel. A falta de sono, combinada ao acúmulo de tarefas, pode ser esmagadora. Mesmo assim, pesquisas mostram que a maioria das mães costuma reagir a esse período difícil reduzindo, em vez de aumentando, o apoio social. Isso é um paradoxo, porque, na verdade, piora as coisas. Já está provado que a presença dos amigos, parentes e grupos de pais ajuda as mães de primeira viagem a lidar melhor com o estresse, permitindo, assim, que elas enxerguem os filhos sob uma ótica mais positiva. Isso melhora a qualidade de vida de todos, em especial da criança. Quanto mais os pais se cercam de apoio social, mais saudável e feliz o bebê crescerá.

Na Dinamarca, quando uma mulher dá à luz, uma parteira entra em contato na primeira semana para verificar se ela e o bebê estão bem. Ainda mais essencial é o fato de que a parteira fornece a ela nomes e contatos de todas as outras mulheres na redondeza que também acabaram de ter bebês, informando inclusive se é o primeiro, segundo ou terceiro, de modo que essas mães possam se manter em contato, formando grupos que se reúnem uma vez por semana para compartilhar experiências e oferecer apoio. Quando uma mãe não comparece aos encontros, as outras procuram descobrir o que aconteceu, telefonando ou indo até a casa dela para conferir se está bem e se está em contato com outras mães. Esses grupos representam um apoio fundamental num período muito difícil e são parte essencial da maternidade na Dinamarca, ajudando tanto as mães quanto os bebês a se sentir felizes e seguros.

Falamos muito a respeito de apoio social, socialização e da importância do *hygge*. Agora vamos apresentar um exemplo vivido por Jessica que a fez entender de verdade o que é isso.

Em um dia ameno e ensolarado, Jessica estava deitada na rede com o marido, no jardim da casa da cunhada, debaixo de uma enorme ameixeira. Os dois filhos pequenos estavam espremidos com o casal. A família parecia um rocambole balançante, uns de olhos abertos, uns de olhos fechados. Para manter a rede se movendo para lá e para cá, Jessica dava impulso com um pé preguiçosamente esticado para fora. O vento soprava forte contra as árvores e os raios de sol que atravessavam as folhas formavam desenhos no rosto deles. Era uma combinação de tato pela proximidade, audição pelos sons calorosos da natureza e olfato pelo cheiro gostoso do cabelo do filho menor. Jessica podia ouvir o próprio coração bater e sentir o calor da perna do marido encostada na sua. Ela segurava o pezinho da filha, aninhada em silêncio junto ao pai. Estavam todos ali, unidos.

"Ah, estou vendo que vocês estão curtindo um *hygge* em família por aqui", disse a cunhada quando foi chamá-los para comer. Eis o *hygge* resumido, pensou Jessica, depois de treze anos vivendo com o marido.

É uma sensação e um jeito de ser. É a eliminação de toda a confusão e histeria. É decidir desfrutar dos momentos mais importantes e significativos de nossa vida — aqueles que passamos com os filhos, a família e os amigos —, respeitando a importância deles. É manter as coisas simples, tornar o ambiente agradável, deixar os problemas para trás. É querer participar desses momentos, escolher estar ali, contribuir para um momento de aconchego. Numa família grande, isso exige certo esforço, porque é preciso trabalhar juntos por um objetivo comum, como em todo projeto coletivo. É o contrário de ser individualista e se destacar na multidão. Todos têm que querer e respeitar isso. Cada um desempenha um papel. Se todo mundo estiver disposto a contribuir para a criação de um momento de diversão em comum, isso melhora drasticamente as reuniões familiares, o que, por sua vez, afeta na mesma medida nosso bem-estar e nossa felicidade.

1. Faça o juramento do *hygge*

Estabeleça um pacto com toda a família: no próximo encontro, não pensar no "eu", e sim em desfrutar do momento, tentando fazer com que as coisas transcorram sem conflitos e polêmicas. No próximo capítulo você encontrará o juramento do *hygge*.

2. Participe do momento

Todos têm que concordar em deixar de fora os fatores de estresse cotidiano. Tire o foco do que é ruim na sua vida e na dos outros. Tente não ficar preso no pessimismo e evite se referir aos outros de maneira muito negativa. Todos precisam fazer um esforço para participar do momento. Procure se manter animado, bem-humorado e não julgar ninguém. As crianças vão imitar esse comportamento — e, ao fazê-lo, acabarão por se sentir seguras e valorizadas.

3. Treine o "pré-enquadramento"

Prepare você mesmo e a sua família para a reunião, de modo a extrair o máximo possível dela sem impor a lente habitual com que enxerga o mundo. Tente imaginar o tipo de experiência que você está para vivenciar. Depois, pense em estratégias que o ajudarão a manter a calma durante o encontro e as discuta. Lembre-se de que reuniões familiares sem estresse aumentam o bem-estar. Muitas vezes, nos aferramos a nosso jeito de ser com certos membros da família. Mude isso. Use a empatia, o reenquadramento e o "pré-enquadramento".

4. Divirta-se com os outros

Quando a família inteira for passar algum tempo junta, proponha jogos e brincadeiras, ao ar livre e dentro de casa, de que todos possam participar. Deixe de lado suas preferências, encare o que for e divirta-se.

5. Torne tudo divertido
Crie uma atmosfera aconchegante com iluminação aconchegante, decoração e projetos de artesanato, além de comidas e bebidas que vocês prepararam juntos.

6. Dê um tempo nas queixas
Sempre que você sentir a necessidade de reclamar, tente pensar em como pode ajudar. Se todos fizerem o mesmo, o nível de felicidade compartilhado pela família mudará muito.

7. Pratique o reenquadramento quando ficar estressado
O reenquadramento é uma ferramenta muito poderosa, já que tudo pode ser visto sob outra lente. A torta ficou mole? É só comer com colher! Não dá para jogar futebol por causa da chuva? É hora de uma partida de Banco Imobiliário! Lembre que fazendo isso você transmite uma mensagem aos seus filhos, que saberão lidar melhor com o estresse.

8. Mantenha a simplicidade
Dispomos de tantos brinquedos (tanto para adultos quanto para crianças) que nos esquecemos das coisas simples, como o som do vento balançando os galhos das árvores e as coisas divertidas que nossos filhos fazem todos os dias. Aquilo que nos distrai nos afasta do *hygge*, que pressupõe apreciar o que é simples e verdadeiro.

9. Esteja presente — e incentive seus filhos a fazer o mesmo
Use menos telas, celulares, tablets e eletrônicos em geral. Evite-os nas reuniões familiares, para que as crianças interajam mais. Troque os aparelhos por brincadeiras.

10. Relacione-se
Pratique e aprenda a se divertir com os outros. Se ensinar o *hygge* aos seus filhos, eles vão passá-lo adiante, o que melhora em termos gerais o relacionamento familiar.

11. Incentive brincadeiras

Proponha às crianças mais velhas que brinquem com as mais novas, sem aparelhos eletrônicos. Você pode dar tinta para eles ou deixar que brinquem ao ar livre — o importante é que a brincadeira passe longe da tecnologia (ou que só a use em certos momentos).

12. Incentive a formação de equipes

Organize atividades em grupo para as crianças, para incentivar o trabalho em equipe. Crie caças ao tesouro, construa um forte, monte um campeonato. Seja criativo.

13. Abra-se e compartilhe

Quando estiver triste ou passando por um momento difícil, abra-se com os melhores amigos e os parentes em quem confia. Lembre que isso reduz o estresse e ajuda a superá-lo mais rápido. Quando a fase ruim tiver passado, conte aos filhos, em termos simples, como outras pessoas o ajudaram a superá-la.

14. Crie um grupo de pais

Procure pais em situação parecida no seu bairro e crie uma rede de apoio. Está provado que esse tipo de ajuda é extremamente benéfico, auxiliando os pais a lidar com os problemas do cotidiano e até a enxergar os filhos sob um ponto de vista mais favorável.

15. Ensine aos filhos que uma família é um time

Em vez do "cada um por si", incentive todos a "vestir a camisa" da família, mostrando às crianças o papel que podem desempenhar, contribuindo em diversas atividades e projetos. Esse espírito de cooperação e socialização deixa todos mais seguros e felizes.

16. Festeje a socialização do dia a dia

Lembre-se de que o *hygge* não se limita às grandes reuniões de família. Também pode ser alcançado com apenas uma ou duas pessoas. Você pode anunciar uma "noite *hygge*", por exemplo, e implantar as ideias discutidas neste capítulo.

17. Cante!

Tem vergonha? Mas funciona, é divertido e muito *hyggeligt*. Por que cantar só nos dias especiais? As crianças adoram, e os adultos também.

O juramento do *hygge*

Hygge é uma palavra que só existe na língua dinamarquesa e descreve um tipo especial de socialização. É como se o *hygge* fosse um espaço físico que acomoda toda a sua família — ele será *hyggeligere* (aconchegante) se todos compreenderem e fizerem um esforço para cumprir as regras. O juramento do *hygge* é algo a ser discutido e refletido com antecedência, para que todos os que entrarem no espaço do *hygge* para um jantar de família, um churrasco no fim de semana ou uma simples reunião familiar entendam as "regras básicas". Quando todos sabem que é hora do *hygge*, poderão se esforçar para propiciar a união geral, pelo bem de toda a família. O exemplo a seguir é um juramento do *hygge* para a família. Adapte-o à sua própria casa — e deixe a confraternização começar.

Concordamos em passar o jantar de domingo em hygge. *Prometemos ajudar um ao outro, como um time, criando uma atmosfera de aconchego, onde todos se sintam em segurança e ninguém precise levantar a guarda.*

Nós concordamos em:

Desligar os celulares e tablets.

Deixar os problemas do lado de fora. Momentos não faltarão para pensar em nossos problemas. O hygge *é a hora de criar um ambiente seguro para relaxar com os outros e esquecer aquilo que causa estresse no dia a dia.*

Não ficar reclamando à toa.

Buscar maneiras de ajudar, para que ninguém fique sobrecarregado.

Acender velas para criar uma atmosfera gostosa.

Fazer um esforço para desfrutar da comida e da bebida.

Não tocar em assuntos polêmicos, como política. Tudo o que gera briga ou discussão não é hyggeligt. *Não faltarão ocasiões para esse tipo de debate.*

Contar e recontar histórias uns dos outros, engraçadas, bonitas e otimistas.

Não ficar se gabando de si mesmo. Isso pode instaurar sutilmente a discórdia.

Não competir (pensar no "nós", não no "eu").

Não falar mal dos outros nem focar no lado negativo.

Criar brincadeiras das quais todo o grupo possa participar.

Fazer um esforço consciente para ser grato às pessoas amadas à nossa volta.

E agora, o que fazer?

Eis que a questão se impõe de novo. Depois de quarenta anos sendo eleitos os mais felizes do mundo, o que mantém os dinamarqueses no topo dos rankings há tanto tempo? Como vimos neste livro, é tudo por conta da maneira como os filhos são criados. Esse legado permanece, passando de geração a geração, resultando em adultos seguros de si, confiantes, centrados, felizes e resilientes — e isso vale para qualquer um.

Como pais e mães, é importante analisar antes de tudo nossas configurações-padrão, nossas tendências naturais, de modo que possamos reconhecer melhor o que é necessário mudar. Reservar um tempo para nos olhar no espelho e identificar aquilo que estamos repetindo de nosso próprio ciclo familiar é o primeiro passo na direção de uma mudança importante e de uma criação sólida dos filhos.

Tendo identificado nossas configurações-padrão, os princípios definidos no acrônimo FILHOS propiciam ferramentas simples e eficazes para aumentar o nível de felicidade das crianças e de nós mesmos.

- **Farra** ajuda as crianças a desenvolver muitas habilidades essenciais durante a vida. A resiliência, a habilidade de negociação, a capacidade de suportar dificuldades e o autocontrole são apenas algumas das valiosas lições aprendidas com as brincadeiras sem regras — assim como o gerenciamento do estresse, que reduz a chance de se ter problemas de ansiedade na idade adulta. Brincar ajuda a desenvolver um locus de controle interno, o que dá à criança confiança em sua própria capacidade e estabelece uma base poderosa para a felicidade.

- **Integridade** ajuda no desenvolvimento de uma bússola interna forte, para que a criança aprenda a confiar nas próprias emoções. Ensinar que precisamos ser sinceros com nós mesmos fortalece o caráter. Lembre-se de que todas as emoções são aceitáveis. Além disso, os vários tipos de elogio afetam a criança de maneiras diferentes em relação à forma como se enxergam no mundo. Elogios vazios ou ênfase demais à inteligência pode despertar sentimentos de insegurança e aversão ao risco. Ao adotar o elogio ao processo, promovemos uma mentalidade de crescimento, em vez de uma mentalidade fixa, o que contribui para um indivíduo mais persistente, confiante e resiliente.

- **Linguagem** é uma maneira poderosa de alterar as percepções de nossos filhos — e as nossas — em relação à vida. A forma como escolhemos enxergar as coisas afeta nossas sensações. Os otimistas realistas não ignoram informações negativas — eles simplesmente se concentram nas outras informações disponíveis para criar uma narrativa mais rica e afetuosa a respeito de si mesmos, dos filhos e da vida em geral. O reenquadramento pode modificar nossa experiência do mundo, e, nesse processo, torna mais feliz nossa vida e a de nossos filhos. Passar adiante a capacidade de reenquadrar pode ser um dos maiores presentes que daremos, promovendo a felicidade futura das nossas crianças e das gerações seguintes.

- **Humanidade** é uma tendência essencial e natural da nossa espécie. Embora o grau de empatia na sociedade tenha diminuído, e o de narcisismo, aumentado, pesquisas mostram que essa faculdade é mais inata que o egoísmo. Julgando e criticando menos as pessoas à nossa volta, podemos perceber melhor a vulnerabilidade em nós mesmos e nos outros, o que nos une, forjando relacionamentos mais piedosos e nos tornando mais felizes. Praticar a empatia ensina às crianças o respeito aos outros e a si mesmo, propiciando um sentimento mais profundo de bem-estar.

- **Opressão zero** é um lembrete de que as disputas de poder nos levam a perder a cabeça. Muitos pais gritam ou recorrem ao castigo físico como forma de impor disciplina. Perdem o controle e, mesmo assim, exigem que seus filhos não o percam. No estilo autoritário de criação, a confiança e a proximidade são substituídas pelo medo. No curto prazo funciona, mas pode ter consequências. O estilo de criação dinamarquês, mais diplomático, promove a resiliência e a segurança. A criança que se sente respeitada e compreendida, e que é ensinada a compreender e a respeitar, desenvolve o autocontrole e acaba por se tornar um adulto mais feliz e emocionalmente estável.

- **Socialização** e *hygge* são maneiras de estimular nossos relacionamentos mais próximos, um dos principais fatores para prever a felicidade de uma pessoa. Com o *hygge*, os encontros familiares melhoram, tornando-se experiências mais agradáveis e memoráveis para nossos filhos. Deixando o "eu" do lado de fora e focando no "nós", conseguimos eliminar boa parte do drama e da negatividade desnecessários e que às vezes associamos às reuniões de família. Famílias felizes e com forte apoio social levam a crianças mais felizes.

Como dissemos, pode ser que você já conheça alguns dos conceitos deste livro, ou que nunca tenha ouvido falar deles. Talvez você já pratique alguns dos métodos dinamarqueses, talvez nunca tenha adotado nenhum deles. Estamos certas de que, mesmo que incorpore à sua vida apenas uma pequena parte do que apresentamos neste livro, estará no caminho certo para criar filhos mais felizes. Para conhecer mais sobre o método dinamarquês, acesse o site thedanishway.com (em inglês). Lá você encontrará dicas, sugestões de livros e mais informações sobre o tema.

Acreditamos que, juntos, pais, mães e professores podem se apoiar mutuamente na promoção do método dinamarquês, criando filhos mais felizes e resilientes. Todos precisamos de apoio. Ao construir juntos uma comunidade para praticar esses princípios, podemos criar em nossa própria casa pessoas que estarão entre as mais felizes do mundo. Esperamos que você embarque nesta e nos ajude a fazer isso acontecer!

Agradecimentos

JESSICA JELLE ALEXANDER

Gostaria de agradecer ao meu pai e à minha mãe pelo amor incondicional e por sempre terem acreditado em mim. À minha irmã, pelo inestimável amor e amizade. Ao meu marido e sua família, por terem me inspirado a escrever este livro. E aos nossos dois filhos maravilhosos, o farol que guia nossas vidas.

E à Iben, sem cuja contribuição e expertise este livro não teria existido.

IBEN DISSING SANDAHL

Antes de tudo, gostaria de agradecer ao meu marido pelo amor e pelo apoio de sempre.

Cabe um agradecimento especial às minhas duas lindas filhas — sem elas eu não seria a pessoa que sou hoje. Quero agradecer ainda à minha mãe e ao meu pai, que me deram a vida e sempre me apoiaram.

Tenho a sorte de ter à minha volta amigos e colegas inteligentes e interessantes, que me escutam, fazem perguntas pertinentes e me inspiram.

E um obrigado especial à Jessica, pela coragem de tomar a iniciativa de escrever este livro.

Notas

Aqueles que buscam mais informações a respeito de nossas fontes e referências podem encontrar inspiração aqui.

INTRODUÇÃO [PP. 13-6]

O Índice para uma Vida Melhor da OECD mede o bem-estar de diversos países. Mais em: <www.oecd.org>. [Todos os links mencionados neste livro foram acessados em 13 set. 2016.]

O primeiro Relatório Mundial da Felicidade (<http://www.earth.columbia.edu/articles/view/2960>) foi encomendado para uma conferência das Nações Unidas sobre felicidade realizada em abril de 2012. Ele chamou a atenção por ser a primeira pesquisa sobre a felicidade no mundo como um todo. O relatório de 2013 (<http://unsdsn.org/resources/publications/world-happiness-report-2013/>) apontou a Dinamarca como tendo o povo mais feliz. Ele não foi o primeiro, no entanto: ainda em 1973, a Comissão Europeia criou o "Eurobarômetro". Desde então, um ranking sobre bem-estar e felicidade nos Estados-membros é elaborado, e a Dinamarca o lidera ano após ano!

"And the Happiest Place on Earth Is...", programa *Sixty Minutes*, 14 fev. 2008 (<http://www.cbsnews.com/news/and-the-happiest-place-on-earth-is/>).

"Women Around the World", Oprah.com, 21 out. 2009 (<http://www.oprah.com/world/Inside-the-Lives-of-Women-Around-the-World>).

1. COMO RECONHECER NOSSAS CONFIGURAÇÕES-PADRÃO [PP. 17-21]

Sara Harkness e Charles M. Super, "Themes and Variations: Parental Ethnotheories in Western Cultures", em K. Rubin e O. B. Chung (Orgs.), *Parental Beliefs, Parenting, and Child Development in Cross-Cultural Perspective* (Londres: Psychology Press, 2013).

O uso de antidepressivos aumentou 400% entre 2005 e 2008 nos Estados Unidos, segundo o Centro Nacional de Estatísticas de Saúde. Mais em: <http://www.cdc.gov/nchs/data/databriefs/db76.htm>.

O transtorno de déficit de atenção com hiperatividade se tornou o diagnóstico "da moda", tendo aumentado em média 5,5% ao ano nos Estados Unidos entre 2003 e 2007. Mais em: <http://www.cdc.gov/ncbddd/adhd/data.html/>.

Cerca de 5,9 milhões de americanos entre três e dezessete anos receberam o diagnóstico de transtorno de déficit de atenção com hiperatividade. Mais em: <http://www.cdc.gov/nchs/fastats/adhd.htm>.

Ter autoconsciência e decidir como se comportar é o primeiro passo na direção de uma poderosa mudança de vida. Mais em: <http://www.boernogunge.dk/internet/boernogunge.nsf/0/7F933F515B65A7B3C1256C64002D2029?opendocument> (em dinamarquês).

2. F DE FARRA [PP. 22-34]

"É notável que, nos últimos cinquenta anos, tenha havido um declínio drástico e contínuo nas oportunidades para as crianças brincarem livremente nos Estados Unidos e em outros países desenvolvidos. E esse declínio continua, com sérias consequências negativas sobre o desenvolvimento físico, mental e social das crianças", disse o editor convidado Peter Gray, professor de psicologia no Boston College. Mais em: <http://www.bc.edu/offices/pubaf/news/2011_jun-aug/petergray_freeplay08252011.html>.

Sobre resiliência e sucesso, ver Gary Stix, "The Neuroscience of True Grit", *Scientific American Mind*, 1 mar. 2011.

O primeiro método pedagógico baseado em uma teoria educacional foi apresentado em 1871 pelo casal Niels e Erna Juel-Hansen, que, inspirados por Friedrich Fröbel (1782-1852), criou o primeiro "jardim de infância Fröbel". Pela primeira vez, brincar foi visto como algo importante na Dinamarca. Fröbel compreendeu que as brincadeiras infantis partem das próprias crianças, como uma expressão natural de necessidades específicas; por isso, deu importância a elas como método pedagógico para promover o desenvolvimento. Desde então, brincar livremente se tornou uma prática disseminada na Dinamarca. Mais em: <http://www.bupl.dk/iwfile/BALG-8RQDV8/$file/EnPaedagogiskHistorie.pdf> (em dinamarquês).

Crianças, adultos e adolescentes que apresentam sentimentos de impotência associados a um locus de controle externo estão propensos à ansiedade e à depressão. Ver Ho Cheung William Li e Oi Kwan Joyce Chung, "The Relationship Between Children's Locus of Control and Their Anticipatory Anxiety". *Public Health Nursing*, v. 26, n. 2, pp. 153-60, 2009.

Um estudo de um período de mais de cinquenta anos, de 1960 a 2002, mostrou um aumento do locus de controle externo em crianças. Ver Jean M. Twenge, Liqing Zhang e Charles Im, "It's Beyond My Control: A Cross-Temporal Meta-Analysis of Increasing Externality in Locus of Control, 1960-2002". *Personality and Social Psychology Review*, v. 8, n. 3, pp. 308-19, 2004.

O psicólogo russo Lev Vygotsky (1896-1934) se interessou pelo desenvolvimento nos primeiros anos da infância e na forma como o ser humano amplia o conhecimento que já possui. Ele criou uma teoria do aprendizado surpreendentemente visionária. Até hoje suas ideias têm uma enorme influência nas escolas dinamarquesas, por isso é bastante relevante familiarizar-se com seu pensamento e com a forma como foi traduzido para o contexto dinamarquês. Vygotsky é particularmente conhecido pelo conceito de "zona de desenvolvimento proximal". Segundo ele, é só dentro dessa zona, que representa o alcance da independência da criança, que ela é capaz de entender as coisas e cooperar. Ver Leif Strandberg, *Vygotskij i praksis*. Copenhague: Akademisk, 2009.

Michael White (1948-2008), fundador do campo da terapia narrativa, inspirou-se no conceito da zona de desenvolvimento proximal. Ele criou mapas de conversas "andaimes", construídos com base em cinco perguntas ou categorias de inquirição, que permitem um avanço gradual e progressivo ao longo da zona de desenvolvimento proximal. Sobre Vygotsky, White escreveu em *Mapas da prática narrativa* (Porto Alegre: Pacartes, 2012):

> Ao estudar a cooperação social, ele observou que os cuidadores adultos estruturam o aprendizado da criança de maneiras que lhes permitam passar das performances familiares e rotineiras daquilo que para eles é possível entender e realizar. Vygotsky descreveu esse fenômeno como um movimento dentro da área de aprendizado, que chamou de "zona de desenvolvimento proximal". Ela represen-

ta o espaço onde as crianças são capazes de aprender e realizar algo por conta própria e onde é possível que aprendam e realizem, com a cooperação de outros.

Estimular a criança a aprender a ler mais cedo não é melhor. O dr. David Elkind, renomado professor e psicólogo do desenvolvimento, autor do best-seller *The Hurried Child*, lembra que "não há correlação entre estimular a criança a ler cedo e o sucesso acadêmico posterior". O mais perturbador é que as crianças que frequentaram a educação infantil convencional, e não experimental, tendem a apresentar níveis mais altos de ansiedade e problemas de autoestima, em conjunto com notas em leitura que, no longo prazo, não são melhores que as dos demais. A pressão e a ansiedade não são necessariamente elementos de uma educação sólida para seu filho. Na verdade, podem ter efeitos negativos no longo prazo. Mais em: <http://www.heyquitpushing.com/why-sooner-inst-better.html>.

Macacos Rhesus e ratos domésticos privados de companheiros de brincadeira mostraram medo em excesso ou agressividade inapropriada. Para mais sobre o assunto, ver Peter LaFreniere, "Evolutionary Functions of Social Play: Life Histories, Sex Differences, and Emotion Regulation", *American Journal of Play*, v. 3, n. 4, pp. 464-88, 2011; S. M. Pellis, V. C. Pellis e H. C. Bell, "The Function of Play in the Development of the Social Brain", *American Journal of Play*, v. 2, n. 3, pp. 278-96, 2010.

Animais que puderam brincar com um companheiro, mesmo por apenas uma hora diária, tiveram um desenvolvimento melhor. S. M. Pellis e V. C. Pellis, "Rough-and-Tumble Play: Training and Using the Social Brain", em Peter Nathan e Anthony D. Pellegrini (Orgs.), *The Oxford Handbook of the Development of Play* (Oxford: Oxford University Press, 2011, pp. 245-59); H. C. Broccard-Bell, S. M. Pellis e B. Kolb, "Juvenile Peer Play Experience and the Development of the Orbitofrontal and Medial Prefrontal Cortex", *Behavioural Brain Research*, v. 207, n. 1, pp. 7-13, 2010.

Expor o cérebro de filhotes ao estresse os altera de modo a torná-los menos reativos ao estresse. Participar de brincadeiras que estimulam o instinto de "lutar ou fugir" ajuda a criança a aprender a dominar o estresse. Ver Pellis e Pellis, "Rough-and-Tumble Play"; Pellis, Pellis e Bell, "The Function of Play".

Indivíduos que sofrem de transtornos de ansiedade descrevem a perda do controle emocional como um de seus maiores temores. Ver David H. Barlow, *Anxiety and Its Disorders: The Nature and Treatment of Anxiety and Panic*, 2. ed. (Nova York: Guilford Press, 2002).

O nível de brincadeira em crianças da educação infantil tem uma correlação direta com a capacidade de lidar com situações difíceis. Ver I. Saunders, M. Sayer e A. Goodale, "The Relationship Between Playfulness and Coping Skills in Preschool Children: A Pilot Study", *American Journal of Occupational Therapy*, v. 53, n. 2, pp. 221-6, 1999.

Adolescentes do sexo masculino que participam de mais brincadeiras têm melhor capacidade de lidar com situações difíceis. Ver L. M. Hess e A. C. Bundy, "The Association Between Playfulness and Coping in Adolescents", *Physical and Occupational Therapy in Pediatrics*, v. 23, n. 2, pp. 5-17, 2003. Pesquisas mostram que os animais jovens brincam para lidar com o inesperado. Ver Marek Spinka, Ruth C. Newberry e Marc Bekoff, "Mammalian Play: Training for the Unexpected", *Quarterly Review of Biology*, v. 76, n. 2, pp. 141-68, 2001.

Para continuar a brincar, a criança aprende a lidar com o conflito, o controle e a cooperação. LaFreniere, "Evolutionary Functions of Social Play". Ao brincar, a criança interage, negociando regras e papéis. Stig Broström, "Børns Lærerige Leg", *Psyke & Logos*, n. 23, pp. 451-69, 2002. Broström é educador de formação e doutor em educação na primeira infância. É professor associado da Faculdade Dinamarquesa de Educação, na Universidade de Aarhus.

A Patrulha do Jogo existe graças à colaboração entre a Dansk Skoleidræt e as escolas da Dinamarca. A Dansk Skoleidræt é uma organização esportiva nacional cujo principal objetivo é promover o aprendizado, a saúde e o bem-estar por meio de esporte, brincadeiras e exercícios para todos os jovens matriculados na escola. Como dizem em seu site (<www.legepatruljen.dk>, em dinamarquês):

> Ao oferecer atividades nas diversas arenas da escola — isto é, logo antes e logo depois da aula, em sala de aula e no intervalo —, proporcionaremos aos estudantes, em cooperação com as escolas, a oportunidade de vivenciar a alegria de praticar esportes e atividades físicas. Fazemos isso com base na crença de que experiências positivas associadas à atividade física estabelecem a base de hábitos positivos. E é isso que torna os estudantes mais capazes de fazer escolhas saudáveis na vida, agora e no futuro.

Sobre a prática do autocontrole, ver Lev Vygotsky, "The Role of Play in Development", em Michael Cole, Vera John Steiner, Sylvia Scribner e Ellen Souberman (Orgs.), *Mind in Society: The Development of Higher Psychological Processes* (Cambridge, Estados Unidos: Harvard University Press, 1978, pp. 92-104).

Mais sobre o Lego, originalmente feito de madeira e posteriormente de plástico, ter sido considerado o brinquedo do século pela revista americana *Fortune* em: <www.visitdenmark.dk/da/danmark/design/lego-et-dansk-verdens-brand> (em dinamarquês).

Aprender a brincar é, segundo duas pesquisadoras dinamarquesas, Pernille Hviid, professora de psicologia, e Bo Stjerne Thomsen, doutora em arquitetura e tecnologia de mídia e diretora de pesquisa e aprendizado da Fundação Lego, a melhor forma de abastecer crianças pequenas com conhecimento. Existem claras evidências científicas de que o aprendizado infantil ocorre melhor através das brincadeiras. Andreas Abildlund, "Children Can Play Their Way to More Learning in School", *ScienceNordic*, 23 jun. 2014. Disponível em: <http://sciencenordic.com/children-can-play-their-way-more-learning-school>.

Mais sobre os parquinhos Kompan em: <www.kompan.dk> (em dinamarquês).

Ambientes sensorialmente ricos, combinados com brincadeiras, estimulam o crescimento do córtex. Silvia Helena Cardoso e Renato M. E. Sabbatini, "Learning and Changes in the Brain", 1997. Disponível em: <http://lecerveau.mcgill.ca/flash/capsules/articles_pdf/changes_brain.pdf>.

Pediatras publicaram nos Estados Unidos artigos afirmando que brincar faz bem à saúde. Conforme publicado em <http://www.aap.org/en-us/about-the-aap/aap-press-room/Pages/Babies-and-Toddlers-Should-Learn-from-Play-Not-Screens.aspx>:

> Brincadeiras sem regras são mais valiosas para o cérebro em desenvolvimento que aparelhos eletrônicos. Em idade precoce, através de brincadeiras sem regras e sem equipamentos eletrônicos, as crianças aprendem a pensar de forma criativa, resolver problemas, desenvolver habilidades motoras e de raciocínio.

OUTROS

As pesquisas em psicologia e neurologia nos dão muita informação sobre como a educação pode ser uma experiência empolgante, criativa e profissionalmente eficiente. Hans Henrik Knoop, professor assistente na Faculdade Dinamarquesa de Educação da Universidade de Aarhus e chefe de pesquisa em psicologia positiva, descreve como combinar o respeito pelo bem-estar, aprendizado, vontades e exigências de cada um com criatividade e disposição para aprender. Ver *Play, Learning, and Creativity: Why Happy Children Are Better Learners* (Copenhague: Aschehoug, 2002).

Os educadores podem trabalhar com brincadeiras e aprendizado — de que forma os jogos podem ser instrutivos e como atividades de aprendizado específicas podem ser inseridas no espírito de um jogo. Ver Eva Johansson e Ingrid Samuelsson, *Lærerig leg— børns læring gennem samspil* (Frederikshavn: Dafolo, 2011).

Sobre brincadeiras e aprendizado na vida cotidiana, ver M. S. Larsen, B. Jensen, I. Johansson, T. Moser, N. Ploug e D. Kousholt, *Forskningskortlægning og forskervurdering af skandinavisk forskning i året 2009 i institutioner for de 0-6 årige (førskolen)* [Pesquisa de mapeamento e análise de estudos escandinavos de 2009 em instituições para crianças de zero a seis anos]. Copenhague: Clearinghouse for Uddannelsesforskning, n. 7, 2011. Disponível em: <http://www.eva.dk/dagtilbud/bakspejlet/forskningskortlaegning-2009> (em dinamarquês).

Bo Stjerne Thomsen, diretora de pesquisa e aprendizado da Fundação Lego, concorda que as escolas devem usar os jogos com mais frequência na educação: "As crianças aprendem jogando. Elas são curiosas e exploram. É assim que criam coisas e compartilham com os outros. Existem claras evidências científicas de que elas aprendem melhor brincando".

A professora assistente de psicologia Pernille Hviid ressalta:

> aprender brincando é a habilidade básica prioritária ensinada pelos professores de matemática e língua dinamarquesa hoje. Não é uma rejeição do senso comum, mas uma oportunidade de permitir que a criança interaja com a imaginação. Caso isso se torne realidade, não só a próxima geração virá a tomar conta da sociedade, mas também estará preparada para desenvolvê-la no futuro.

Dois pesquisadores dinamarqueses afirmaram na ESOF, a conferência europeia de conhecimento, que aprender brincando é a melhor forma de abarrotar de conhecimento a cabecinha dos pequenos. Mais em: <http://videnskab.dk/miljo-naturvidenskab/born-skal-lege-sig-klogere-i-skolen> (em dinamarquês). Ver Jennifer Freeman, David Epston e Dean Lobovits, *Playful Approaches to Serious Problems* (Nova York: W. W. Norton & Company, 1997).

3. I DE INTEGRIDADE [PP. 35-46]

Sobre filmes tristes que deixam você feliz, ver S. Knobloch-Westerwick, Y. Gong, H. Hagner e L. Kerbeykian, "Tragedy Viewers Count Their Blessings: Feeling Low on Fiction Leads to Feeling High on Life", *Communication Research*, v. 40, n. 6, pp. 747-66, 2013; M. B. Oliver e A. A. Raney, "Entertainment as Pleasurable and Meaningful: Differentiating Hedonic and Eudaimonic Motivations for Entertainment Consumption", *Journal of Communication*, v. 61, n. 5, pp. 984-1004, 2011; Elizabeth L. Cohen, "TV So Good It Hurts: The Psychology of Watching Breaking Bad", *Scientific American*, 29 set. 2013. Disponível em: <http://blogs.scientificamerican.com/guest-blog/2013/09/29/TV-so-good-it-hurts-the-psychology-of-watching-breaking-bad/>.

Para compreender os sentimentos, as ideias e as intenções subjacentes aos atos das crianças, ver Janne Østergaard Hagelquist e Marianne Køhler Skov, *Mentalisering i pædagogik og terapi* (Copenhague: Hans Reitzels Forlag, 2014).

Ser humilde não é o mesmo que ser ignorante em relação a quem ou o que se é — é a aceitação e o reconhecimento daquilo que não tem relação com o outro. Para um artigo sobre humildade e ética na Dinamarca, ver Jacob Birkler, "Ydmygheder en sand dyd", etik.dk, 15 ago. 2011. Disponível em: <www.etik.dk/klummen-etisk-set/ydmyghed-er-en-sand-dyd> (em dinamarquês).

Ver também: C. S. Dweck, *Mindset: A atitude mental para o sucesso* (Amadora: Vogais, 2014); C. S. Dweck, *Self-Theories: Their Role in Motivation, Personality, and Development* (Filadélfia: Taylor and Francis/Psychology Press, 1999); L. S. Blackwell, K. H. Trzesniewski e C. S. Dweck, "Implicit Theories of Intelligence Predict Achievement Across an Adolescent Transition: A Longitudinal Study and an Intervention", *Child Development*, v. 78, n. 1, pp. 246-63, 2007.

Pesquisas com alunos do quinto ano analisaram os elogios à inteligência e como criam uma mentalidade fixa. Ver C. M. Mueller e C. S. Dweck, "Intelligence Praise Can Undermine Motivation and Performance", *Journal of Personality and Social Psychology*, v. 75, n. 1, pp. 33-52, 1998.

Sobre a plasticidade do cérebro, ver N. Doidge, *The Brain That Changes Itself: Stories of Personal Triumph from the Frontiers of Brain Science* (Nova York: Viking, 2007).

Sobre a persistência e a dedicação, diante de obstáculos relevantes, ver K. A. Ericsson, N. Charness, P. J. Feltovich e R. R. Hoffman (Orgs.), *The Cambridge Handbook of Expertise and Expert Performance* (Nova York: Cambridge University Press, 2006); Janet Rae-Dupree, "If You're Open to Growth, You Tend to Grow",

The New York Times, 6 jul. 2008 (disponível em: <http://www.nytimes.com/2008/07/06/business/06unbox.html?_r=0>).

OUTROS

Arthur C. Brooks, "Love People, Not Pleasure", *The New York Times*, 18 jul. 2014. Disponível em: <http://www.nytimes.com/2014/07/20/opinion/sunday/arthur-c-brooks-love-people-not-pleasure.html?_r=1>.

Mais sobre fortalecer a resistência em: <www.psykiatrifonden.dk> (em dinamarquês).

4. L DE LINGUAGEM [PP. 47-62]

Sobre otimismo realista, resiliência e sucesso, ver *True Grit. Scientific American Mind*, ago. 2013.

A citação de Dean M. Becker foi extraída de Diane Coutu, "How Resilience Works", *The Harvard Business Review*, maio 2002.

Diversos estudos mostram que, quando reinterpretamos deliberadamente um acontecimento de maneira a nos sentirmos melhor em relação a ele, diminui a atividade na amígdala e na ínsula, regiões do cérebro responsáveis pelo processamento de emoções negativas, e aumenta a atividade nas áreas envolvidas no controle cognitivo e na integração adaptativa. Ver A. T. Beck e G. Emery, *Anxiety Disorders and Phobias: A Cognitive Perspective* (Nova York: Basic Books, 1985); T. D. Borkovec e M. A. Whisman, "Psychosocial Treatment for Generalized Anxiety Disorder", em M. Mavissakalian e R. Prien (Orgs.), *Anxiety Disorders: Psychological and Pharmacological Treatments* (Washington, American Psychiatric Press, no prelo).

Sobre o estudo com as caras zangadas, ver G. Sheppes, S. Scheibe, G. Suri, P. Radu, J. Blechert e J. J. Gross, "Emotion Regulation Choice: A Conceptual Framework and Supporting Evidence", *Journal of Experimental Psychology*, v. 143, n. 1, pp. 163-81, 2014.

Sobre aranhas e serpentes, ver A. A. Shurick, J. R. Hamilton, L. T. Harris, A. K. Roy, J. J. Gross e E. A. Phelps, "Durable Effects of Cognitive Restructuring on Conditioned Fear", *Emotion*, v. 12, n. 6, pp. 1393-7, 2012.

É comum que nos definamos de maneira negativa, seja para nós mesmos, para parentes ou colegas. Ver: Svend Aage Rasmussen, *Det fjendtlige sprog — Re-*

fleksioner over udviklinger i psykiatrien (Copenhague: Universitetsforlaget, Fokus, 2003, pp. 229-45).

O reenquadramento deveria ser tão rotineiro quanto respirar. Ver: Anette Prehn, "The Neuroscience of Reframing & How to Do It", vídeo, 10min48. Disponível em: <https://www.udemy.com/the-neuroscience-of-reframing-and-how-to-do-it/>.

Em seu livro *Narrativ teori* (Copenhague: Hans Reitzels Forlag, 2006, p. 143), Michael White ainda diz: "É através da narrativa pessoal que pegamos as lições aprendidas com os acontecimentos de nossa vida e lhes damos sentido. É através dela que conectamos os acontecimentos de nossa vida em sequências que se desdobram ao longo do tempo de acordo com temas específicos".

O homem é, por natureza, interpretativo, e tenta dar significado aos acontecimentos. A narrativa é como um fio que costura os acontecimentos e forma uma história. Essas histórias têm, em grande parte, o objetivo de dar forma a nossa vida. Ao juntar acontecimentos numa história alternativa, podemos descortinar novas maneiras de enxergar a nós mesmos e ao mundo. Ver Alice Morgan, *Narrative samtaler* (Copenhague: Hans Reitzels Forlag, 2005).

Para facilitar a "reautoria", o adulto pode fazer à criança perguntas sobre aquilo que White chama de "paisagem de ação" e "consciência da paisagem". Em conversas terapêuticas, esses conceitos permitem elaborar um contexto, no qual as pessoas podem atribuir sentido a muitos acontecimentos importantes, embora negligenciados, de sua vida. Ver White, *Kort over narrative landskaber*.

"Um problema só passa a ser um problema quando nos referimos a ele assim", disse Allan Holmgren em conversa pessoal com a autora em 2014 em Annette Holmgren, *Fra terapi til pædagogik: En brugsbog i narrativ praksis* (Copenhague: Hans Reitzels Forlag, 2010).

Sobre querermos enxergar sentido nas ações, ver Jerome Bruner, *Mening i handling* (Århus: Forlaget Klim, 1999).

Desfechos singulares, também conhecidos como "exceções", podem ser classificados como iniciativas. Eles estão sempre presentes na vida das pessoas, mas o mais comum é não serem percebidos. Ver White, *Kort over narrative landskaber*.

Separar a ação do indivíduo é chamado de "externalização". Isso ajuda a pessoa a dissolver ou desconstruir o problema, criando em torno dele histórias plenas de recursos. Ver White, *Narrativ teori*. Falar dos problemas de modo a separá-los do indivíduo é uma prática linguística que dá espaço a descrições alternativas da criança, permitindo que ela se expresse de maneira que torne mais acessíveis suas histórias favoritas (*Narrativ teori*, p. 76). Ver Michael White e Alice Morgan, *Narrativ terapi med børn og deres familier* (Copenhague: Akademisk Forlag, 2007).

Em *Narrativ teori*, White ainda afirma:

> Enfatizei e ilustrei o potencial da externalização de conversas para (a) ajudar as pessoas a se afastar de conclusões negativas de identidade, e (b) para pavimentar o caminho para a introdução de outras narrativas, que contribuam para a exploração e a geração de conclusões identitárias mais positivas. Elas não são fenômenos isolados e estão associadas a conhecimentos específicos e práticas da vida. [...] Você pode e deve sempre contar uma história diferente da história dominante. Histórias individuais não proporcionam profundidade nem perspectiva no recital e na descrição. Consideramos mais relevante encorpar essas histórias do que encher nossos filhos de elogios superficiais.

5. H DE HUMANIDADE [PP. 63-78]

O nível de empatia caiu 50%. Ver S. Konrath, E. O'Brien e C. Hsing, "Changes in Dispositional Empathy in American College Students over Time: A Meta-analysis", *Personality and Social Psychology Review*, v. 15, n. 2, pp. 180-98, 2011.

O narcisismo teve um aumento significativo e linear. Ver Jean M. Twenge e Joshua D. Foster, "Birth Cohort Increases in Narcissistic Personality Traits Among American College Students, 1982-2009", *Social Psychological and Personality Science*, v. 1, n. 1, pp. 99-106, 2010; Jean M. Twenge, S. Konrath, J. D. Foster, W. K. Campbell e B. J. Bushman, "Egos Inflating over Time: A Cross-Temporal Meta-analysis of the Narcissistic Personality Inventory", *Journal of Personality*, v. 76, n. 4, pp. 875-902, 2008; Peter Gray, "Why Is Narcissism Increasing Among Young Americans?", *Psychology Today*, 16 jan. 2014 (disponível em: <http://www.psychologytoday.com/blog/freedom-learn/201401/why-is-narcissism-increasing-among-young-americans>).

O narcisismo atingiu novos picos. Ver J. M. Twenge e W. K. Campbell, *The Narcissism Epidemic: Living in the Age of Entitlement* (Nova York: Free Press, 2009).

Nos Estados Unidos, durante muitos anos, acreditou-se que o ser humano, assim como a natureza, é fundamentalmente egoísta, agressivo e competitivo. Ver Maia Szalavitz, "Is Human Nature Fundamentally Selfish or Altruistic?",

Time, out. 2012. Disponível em: <http://healthland.time.com/2012/10/08/is-human-nature-fundamentally-selfish-or-altruistic/>.

Brené Brown disse em sua palestra no TED: "As pessoas têm medo de ficar vulneráveis ao se desconectar [...] Somos a sociedade mais endividada, obesa, viciada e medicada do mundo". "The Power of Vulnerability", jun. 2010, 20min19. Disponível em: <https://www.ted.com/talks/brene_brown_on_vulnerability>.

Sobre o cérebro social, ver Matthew D. Lieberman, *Social: Why Our Brains Are Wired to Connect* (Nova York: Crown, 2013).

Lieberman acredita que o interesse pelo bem-estar dos outros também é inato. Ver "The Social Brain and Its Superpowers: Matthew Lieberman, ph.D. at TEDxStLouis", vídeo do YouTube, 17min58, publicado por "TEDx Talks", 7 out. 2013. Disponível em: <https://www.youtube.com/watch?v=NNhk3owF7RQ&-feature=kp>.

Sobre o Dilema do Prisioneiro, ver Robin Marantz Henig, "Linked In: 'Social', by Matthew D. Lieberman", *The New York Times*, 1º nov. 2013. Disponível em: <http://www.nytimes.com/2013/11/03/books/review/social-by-matthew-d-lieberman.html?_r=1>.

Do ponto de vista evolutivo, a empatia é um impulso valioso que nos ajuda a sobreviver em grupo. Ver Frans de Waal, *A era da empatia* (São Paulo: Companhia das Letras, 2010); Greg Ross, "An Interview with Frans de Waal", *American Scientist* (disponível em: <http://www.americanscientist.org/bookshelf/pub/an-interview-with-frans-de-waal>); Frans de Waal, "Moral Behavior in Animals", vídeo do TED, nov. 2011, 16min52. (disponível em: <http://www.ted.com/talks/frans_de_waal_do_animals_have_morals>).

Foi só quando os cientistas começaram a estudar a interação dos bebês com as mães que houve uma mudança crucial de paradigma. Evidências mostram que as crianças nascem com a capacidade de fazer o que o professor Daniel N. Stern chama de "dissipação" — isto é, sintonizar suas emoções e seu humor com a mãe, e depois com outras pessoas. Isso nos traz de volta à base da empatia — a capacidade de sentir e entender os sentimentos do outro. Mais em: <http://www.family-lab.com/about/jesper-juul-articles/item/empati-3> (em dinamarquês).

O encéfalo médio, ou mesencéfalo, contém porções do sistema límbico, que poderia ser chamado de "indústria química" do cérebro e é muito importante para nosso comportamento social e nossas emoções. O mesencéfalo consiste do tálamo, do hipotálamo e da glândula pituitária.

Mais sobre Daniel Siegel, do Center for Building a Culture of Empathy, em: <http://cultureofempathy.com/References/Experts/Daniel-Siegel.htm>; "Daniel

Siegel e Edwin Rutsch: Dialogs on How to Build a Culture of Empathy", vídeo do YouTube, 58min22, publicado por "Edwin Rutsch", 29 out. 2012 (disponível em: <http://www.youtube.com/watch?v=XIzTdXdhU0w>).

A primeiríssima experiência de empatia ocorre quando os pais reagem às diferentes expressões da criança. Dessa forma, comunicam à criança que estão ali e querem ajudar. Nos primeiros anos de vida da criança, ela se obstina a compreender e a levar em conta outras pessoas. Dar uma chupeta à boneca, pôr no colo o irmão menor ou brincar de papai e mamãe são passos importantes no desenvolvimento da empatia. Charlotte Clemmensen, psicóloga formada na Faculdade Dinamarquesa de Educação, diz: "Bebês muito pequenos reagem aos sentimentos de outras pessoas. Pesquisas mostram que reagem ao choro de outros bebês, ficando com medo ou ansiosos, e alguns até começam a chorar". Mais em: <www.voresborn.dk/barn-3-8/psykologi-og-udvikling/4254-laer-dit-barn-at-vaere-god-mod-andre> (em dinamarquês).

Pesquisas mostram que crianças de dezoito meses quase sempre tentam ajudar um adulto que esteja com dificuldades numa tarefa. Mais em: <http://www.eva.mpg.de/psycho/videos/children_cabinet.mpg>. Quando um adulto tenta alcançar alguma coisa, a criança tenta entregá-la a ele; quando ela vê um adulto deixar alguma coisa cair por acidente, procura pegá-la. Em compensação, quando o mesmo adulto atira propositalmente uma coisa no chão, ela não faz isso. Ver F. Warneken e M. Tomasello, "Altruistic Helping in Human Infants and Young Chimpanzees", *Science*, v. 311, n. 5765, pp. 1301-3, 2006; Nathalia Gjersoe, "The Moral Life of Babies", *Guardian*, 12 out. 2013. Disponível em: <http://www.theguardian.com/science/2013/oct/12/babies-moral-life>.

A criança aprende antes de tudo com o pai e a mãe. Ao empregar a empatia e a compaixão, os pais a transmitem aos filhos. Mais em: <www.family-lab.com/about/jesper-juul-articles/item/empati-3> (em dinamarquês).

A criança pequena aprende pela imitação do que ocorre no entorno e através do diálogo, conectando palavras e objetos ou ideias. Na companhia de outras, ela é educada para ser capaz de ler e se comunicar. Isso ocorre, frequentemente, através da imitação, da linguagem corporal e das expressões faciais. Mais em: <http://dcum.dk/boernemiljoe/sprog> (em dinamarquês).

Jesper Juul é um palestrante de renome internacional, escritor, terapeuta familiar e educador, com compromissos em mais de quinze países. Suas descobertas foram confirmadas tanto pela neurociência quanto pela psicologia relacional, e constituem a base de um novo paradigma no estudo e nos princípios do trato com as famílias, assim como na interação entre criança, jovem e adulto. Ver Jesper Juul, *Din kompetente familie* (Copenhague: Forlaget Aprostof, 2008).

Sobre transtornos em crianças, ilustrados pela interação dinâmica entre fatores psicológicos neuropsicológicos e de desenvolvimento, ver Susan Hart e Ida Møller, "Udviklingsforstyrrelser hos Børn Belyst Udfra det Dynamiske Samspil Mellem Neuropsykologiske og Udviklingspsykologiske Faktorer", 2001. Disponível em: <www.neuroaffect.dk/Artikler_pdf/kas2.pdf>. Filhos de famílias superprotetoras estão mais propensos a narcisismo, ansiedade e depressão ao crescer. Ver Rachel Sullivan, "Helicopter Parenting Causes Anxious Kids", *ABC Science*, 20 ago. 2012. Disponível em: <http://www.abc.net.au/science/articles/2012/08/20/3570084.htm>.

O cortisol afeta o cérebro da criança. Ver Sue Gerhardt, *Why Love Matters: How Affection Shapes a Baby's Brain* (Nova York: Routledge, 2004, p. 264).

Habilidades sociais e emocionais podem ser aprendidas como quaisquer outras e precisam se fazer visíveis, apoiadas e reconhecidas em palavras e atos para se desenvolver. Uma das habilidades mais importantes que a criança aprende é se relacionar com os outros. O Passo a Passo é um programa completo, criado para prevenir o bullying e a violência, promover a empatia e desenvolver as habilidades sociais. A criança que tem essas habilidades pode dominar muitas outras. Trata-se de um programa educacional, sistemático, estruturado de maneira lógica e aplicável na prática, para desenvolver a empatia, o controle dos impulsos e a solução dos problemas. O Passo a Passo (Segundo Passo) foi desenvolvido pelo CESEL. Mais em: <http://spf-nyheder.dk/download/om_cesel.pdf> (em dinamarquês).

Mais sobre o CAT-kit em: <www.cat-kit.com/?lan=en&area=catbox&page=catbox>.

Mais sobre a Mary Foundation em: <http://www.maryfonden.dk/en>.

Ver Annie Murphy Paul, "The Protégé Effect". *Time*, 30 nov. 2011. Disponível em: <http://ideas.time.com/2011/11/30/the-protege-effect/>.

Pesquisas mostram que ajudar os outros acelera muito a curva de aprendizado. Sabemos que a empatia é um dos fatores isolados mais importantes nos futuros líderes, empreendedores, gerentes e negócios bem-sucedidos. Ver Ashoka, "Why Empathy Is the Force That Moves Business Forward", *Forbes*, 30 maio 2013. Disponível em: <http://www.forbes.com/sites/ashoka/2013/05/30/why-empathy-is-the-force-that-moves-business-forward/>.

Adolescentes empáticos se revelaram mais bem-sucedidos, por serem mais movidos por propósitos que seus colegas narcisistas. Ver Ugo Uche, "Are

Empathetic Teenagers More Likely to Be Intentionally Successful?", *Psychology Today*, 3 maio 2010. Disponível em: <http://www.psychologytoday.com/blog/promoting-empathy-your-teen/201005/are-empathetic-teenagers-more-likely-be-intentionally-succes>.

Mais sobre Knud Ejler Løgstrup em: <www.kristeligt-dagblad.dk/debat/fasthold-den-etiske-fodring-fortællinger-udvikler-børns-empati> e <www.kristeligt-dagblad.dk/liv-sjæl/i-begyndelsen-er-tilliden> (ambos em dinamarquês).

A história de Lisa brincando na areia, na p. 74, foi inspirada em Jesper Juul, renomado terapeuta familiar dinamarquês. Mais em: <www.jesperjuul.com>.

Pesquisas mostram que ler para os filhos aumenta sensivelmente o nível de empatia. Ver R. Mar, J. Tackett e C. Moore, "Exposure to Media and Theory-of-Mind Development in Preschoolers", *Cognitive Development*, v. 25, n. 1, pp. 69-78, 2010.

Relações abaladas revelaram-se causa de danos físicos e psicológicos. Ver Lynn E. O'Connor, "Forgiveness: When and Why Do We Forgive", Our Empathic Nature, *Psychology Today*, 21 maio 2012. Disponível em: <http://www.psychologytoday.com/blog/our-empathic-nature/201205/forgiveness-when-and-why-do-we-forgive>.

A empatia e o perdão ativam a mesma região do cérebro. Ver Y. Zheng, I. D. Wilkinson, S. A. Spence, J. F. Deakin, N. Tarrier, P. D. Griffiths e P. W. Woodruff, "Investigating the Functional Anatomy of Empathy and Forgiveness", *Neuroreport*, v. 12, n. 11, pp. 2433-8, 2001.

Relacionamentos significativos são os fatores mais importantes para a verdadeira felicidade, bem à frente do dinheiro. Ver Tal Ben-Shahar, "Five Steps for Being Happier Today", vídeo Big Think, 1min46, 2011. Disponível em: <http://bigthink.com/users/talbenshahar>.

6. O DE OPRESSÃO ZERO [PP. 79-94]

Algumas pesquisas indicam que até 90% dos americanos ainda recorrem à palmada como forma de castigo. Ver Karen Schrock, "Should Parents Spank Their Kids?", *Scientific American*, 1º jan. 2010. Disponível em: <http://www.scientificamerican.com/article/to-spank-or-not-to-spank/>. O castigo físico nas escolas — isto é, bater nos alunos com vara ou palmatória por mau comportamento — ainda é permitido nos Estados Unidos. Embora tenha sido abolido em escolas públicas em 31 estados, ainda é permitido em escolas particulares em todos.

O estudo que avaliou cinco grupos culturais diferentes (asiáticos, hispânicos, negros, brancos não hispânicos e indígenas) divididos em 240 grupos focais de seis cidades americanas mostrou que todos os grupos admitiam usar, em determinados momentos, o castigo físico quando necessário. Ver K. M. Lubell, T. C. Lofton e H. H. Singer, *Promoting Healthy Parenting Practices Across Cultural Groups: A CDC Research Brief* (Atlanta: Centers for Disease Control and Prevention, National Center for Injury Prevention and Control, 2008).

Na literatura especializada costumam ser identificados quatro tipos de estilos de criação dos filhos, de acordo com "Parenting Styles", Education.com. Disponível em: <www.education.com/reference/article/parenting- styles-2/>.

Diane Baumrind estudou as diferentes maneiras como pais e mães criam os filhos. Ver D. Baumrind, "Current Patterns of Parental Authority", *Developmental Psychology Monographs*, v. 4, n. 1, parte 2, pp. 1-103, 1971.

Ser um pai ou mãe autoritário e excessivamente controlador pode gerar filhos rebeldes. Ver "What's Wrong with Strict Parenting?", Aha! Parenting. Disponível em: <http://www.ahaparenting.com/parenting-tools/positive-discipline/strict-parenting>.

Uma análise recente abrangendo duas décadas de pesquisas a respeito dos efeitos dos castigos físicos sobre as crianças mostrou que não apenas as surras não funcionam como podem criar o caos no desenvolvimento da criança no longo prazo. Ver Harriet L. MacMillan, Michael H. Boyle, Maria Y.-Y. Wong, Eric K. Duku, Jan E. Fleming e Christine A. Walsh, "Slapping and Spanking in Childhood and Its Association with Lifetime Prevalence of Psychiatric Disorders in a General Population Sample", *Canadian Medical Association Journal*, v. 161, n. 7, 1999.

Há evidências por neuroimagem de que os castigos físicos podem afetar as regiões do cérebro relacionadas ao desempenho em testes de Q.I. Ver A. Tomoda, H. Suzuki, K. Rabi, Y. S. Sheu, A. Polcari e M. H. Teicher, "Reduced Prefrontal Cortical Gray Matter Volume in Young Adults Exposed to Harsh Corporal Punishment", *NeuroImage*, v. 47, supl. 2, pp. T66-71, 2009.

Sobre castigo físico e abuso de substâncias químicas, dados que sugerem que surras podem afetar regiões do cérebro relacionadas ao controle do estresse e das emoções. Ver T. O. Afifi, N. P. Mota, P. Dasiewicz, H. L. MacMillan e J. Sareen, "Physical Punishment and Mental Disorders: Results from a Nationally Representative US Sample", *Pediatrics*, v. 130, n. 2, pp. 184-92, 2012.

O exemplo da mãe que bate no filho depois que ele bateu nela e a citação de George Holden foram tirados de Bonnie Rochman, "The First Real-Time Study of

Parents Spanking Their Kids", *Time*, 28 jun. 2011. Disponível em: <http://healthland.time.com/2011/06/28/would-you-record-yourself-spanking-your-kids/>.

Ver "The First Real-Time Study of Parents Spanking Their Kids", vídeo do YouTube, 23min05, publicado por "Stefan Molyneux", 22 abr. 2014. Disponível em: <https://www.youtube.com/watch?v=N3iw0py_PL8>.

O castigo corporal foi gradualmente proibido por lei na Dinamarca ao longo do século xx. Castigar serviçais foi proibido em 1921, e em 1951 o castigo físico foi abolido nas escolas públicas de Copenhague. A "Circular da Vara", de 1967, acabou pondo fim a todo tipo de castigo físico nas escolas dinamarquesas. O direito dos pais de castigar os próprios filhos continua sem ser questionado. Depois da abolição do castigo físico, a violência contra a criança tornou-se passível de punição pelo código penal, nos mesmos termos da violência contra terceiros. O castigo físico foi abolido em vários estágios no país, o mais recente deles com uma emenda de 1997 que proibiu explicitamente bater em crianças. Hoje, mais de 32 países — grande parte da Europa, Costa Rica, Israel, Tunísia e Quênia — possuem leis semelhantes.

Pesquisas mostram que filhos de pais rigorosos têm maior probabilidade de desenvolver autoconfiança, aceitação social, sucesso acadêmico e comportamento adequado e menor probabilidade de relatar depressão e ansiedade e de adotar comportamentos antissociais, como delinquência e uso de drogas. Ver A. Fletcher, L. Steinberg e E. Sellers, "Adolescents' Well-being as a Function of Perceived Interparental Inconsistency", *Journal of Marriage and the Family*, v. 61, n. 3, pp. 599-610, 1999; E. E. Wener e R. S. Smith, *Vulnerable but Invincible: A Longitudinal Study of Resilient Children and Youth* (Nova York: McGraw-Hill, 1982).

Pesquisas indicam que pode bastar que um dos pais seja do tipo rigoroso para fazer diferença. Ver Fletcher, Steinberg e Sellers, "Adolescents' Well-being". Essas crianças são mais sintonizadas com os pais e menos influenciadas por seus pares. Ver D. E. Bednar e T. D. Fisher, "Peer Referencing in Adolescent Decision Making as a Function of Perceived Parenting Style", *Adolescence*, v. 38, n. 152, pp. 607-21, 2003.

Envolver todos os alunos no processo de fazer a classe atuar como uma comunidade socialmente responsável é um processo que começa na creche e continua depois que eles saem da escola. Esse trabalho contribui para a prevenção de problemas e é importante para eliminar o bullying. A escola deve estar ciente de que o recreio é um momento em que a criança aprende jogando e aprende a jogar. É nessa hora que ela precisa entender a importância do fair play.

Sobre as decisões políticas relativas aos problemas de ensino nas escolas, ver Danmarks Lærerforening, jul. 2009. Disponível em: <www.dlf.org/media/97473/UroISkolen2.pdf> (em dinamarquês). Mais sobre as almofadas em forma de bola: <www.protac.dk/ball_cushion.aspx?ID=120> (em dinamarquês). Fotos de colchões de equilíbrio e balões-travesseiro em: <www.podconsult.dk/inklusiononline/flyers/sidderedskaber%202.pdf> (em dinamarquês). Mais sobre brinquedos e kits especiais para crianças: <www.familierum.dk/forside/category/dimse> (em dinamarquês).

CORRENDO EM VOLTA DO PÁTIO DA ESCOLA

Hoje, sabe-se que a atividade física é essencial para o desenvolvimento saudável das habilidades motoras, cognitivas e sociais e da identidade pessoal da criança. Sendo uma experiência universal dos professores que as crianças vivenciam alta motivação para o aprendizado através do movimento, há boas razões para implementar a corrida em volta do pátio como parte do ensino cotidiano. Por isso, o Departamento de Saúde da Dinamarca, a Saúde Pública de Copenhague, a Administração para a Infância e a Juventude e o Centro para a Infância e a Juventude deram início a uma cooperação para criar orientações concretas e proporcionar inspiração a professores de disciplinas como língua, matemática, inglês, alemão e história, incluindo a atividade física como componente da instrução acadêmica. Esse material se intitula "Exercício na classe: Um projeto de aprendizado para todos", e está disponível em: <http://playtool.dk/UserFiles/file/move_school.pdf> (em dinamarquês).

LEVANDO EM CONTA AS DIFERENÇAS

É uma tarefa crucial para o professor organizar atividades que propiciem desafios linguísticos a cada aluno, de modo que todos recebam orientação adequada a suas atuais exigências linguísticas e de conhecimento. Muitos professores consideram um enorme desafio organizar a educação de modo a motivar todos. Um bom ensino, porém, pode ser implementado qualquer que seja a composição da classe. Ver <www.inklusionsudvikling.dk/Vores-fire-fokusomraader/Inkluderende-laeringsfaellesskab/Laeringsmiljoeer/Undervisningsdifferentiering-saa-alle-elever-udfordres-og-motiveres> (em dinamarquês).

OS ESTÁGIOS DO DESENVOLVIMENTO INFANTIL

Jean Piaget (1896-1980) foi um psicólogo suíço famoso por suas pesquisas sobre os processos de raciocínio da criança. Suas descobertas tiveram uma influência significativa sobre os métodos de ensino contemporâneos. Ele via a percepção da criança como instável, distorcida e repleta de ilusões, ao passo que o processo de aprendizagem, ou de crescimento, é uma aproximação gradual de uma experiência de mundo mais organizada e sistemática, que ajuda a criança a se adaptar ao ambiente. Essa teoria divide o desenvolvimento nos seguintes estágios: o sensório-motor (até dois anos), o pré-operatório (dois a seis anos), operatório concreto (seis a doze anos) e operatório formal (acima de doze). Mais em: <www.leksikon.org/art.php?n=2026> (em dinamarquês).

Erik Erikson (1902-94) foi um psicanalista e psicólogo do desenvolvimento teuto-americano. Ele acreditava que a personalidade é definida muito mais pela relação da criança com os pais do que pelos instintos e pela sexualidade, e que essa personalidade se desenvolve através de uma série de estágios psicossociais, que progridem da infância à velhice.

Ver Robert B. Ewen, *An Introduction to Theories of Personality*, 6. ed. (Mahwah: Lawrence Erlbaum Associates, 2003).

OUTROS

Um ponto de vista sensato sobre a clarificação da vida pode ser acompanhado em Thorkild Olsen, Villa Venire A/S, ago. 2009. Disponível em: <http://villavenire.dk/wp-content/uploads/2014/09/narrativ-metode-af-thorkild-olsen1.pdf> (em dinamarquês).

7. S DE SOCIALIZAÇÃO [PP. 95-107]

Pesquisas mostram que um dos principais fatores que permitem prever o bem-estar e a felicidade é o tempo bem aproveitado com amigos e parentes. Ver Eric Barker, "6 Secrets You Can Learn from the Happiest People on Earth", *Time*, 7 mar. 2014. Disponível em: <http://time.com/14296/6-secrets-you-can-learn-from-the-happiest-people-on-earth/>; Ben-Shahar, "Five Steps".

Jeppe Trolle Linnet, do Departamento de Marketing e Administração da Universidade da Dinamarca Meridional, é uma das poucas pessoas do mundo especializadas em *hygge*. "O *hygge* não é apenas diversão", diz ele. "É aquilo com que nos identificamos. É o cerne da chegada do Natal. Para fazer *hygge* com os outros, é preciso livrar-se daquilo que tira nossa atenção do momento." Disponível em: <www.rustonline.dk/2013/12/12/hygge-i-et-seriost-lys/> (em dinamarquês).

Geert Hofstede, psicólogo cultural de renome mundial, concluiu em um famoso estudo a respeito de diferenças culturais que os Estados Unidos têm o nível mais alto de individualismo no planeta. Ver Geertv Hofstede, *Culture's Consequences: Comparing Values, Behaviors, Institutions, and Organizations Across Nations*, 2. ed. (Thousand Oaks: Sage Publications, 2001); Geert Hofstede, *Cultures and Organizations: Software of the Mind* (Nova York: McGraw-Hill, 1997).

Sobre trabalho de equipe na Dinamarca, o Foreningsliv TNS Gallup está por trás do Conselho Dinamarquês para a Juventude (DUF). Mais em: <www.duf.dk> (em dinamarquês).

Sobre canto e *hygge*, ver Hayley Dixon, "Choir Singing 'Boosts Your Mental Health'", *Telegraph*, 4 dez. 2013. Disponível em: <http://www.telegraph.co.uk/health/healthnews/10496056/Choir-singing-boosts-your-mental-health.html>.

Pesquisadores da Universidade Brigham Young e da Universidade da Carolina do Norte em Chapel Hill compilaram dados de 148 estudos que fazem a correlação entre relacionamentos sociais e saúde. Ver J. Holt-Lunstad, T. B. Smith e J. B. Layton, "Social Relationships and Mortality Risk: A Meta-Analytic Review", *PLoS Medicine*, v. 7, n. 7, e1000316, 2010.

Em outra experiência famosa relacionando saúde e laços sociais, Sheldon Cohen, da Universidade Carnegie Mellon, expôs centenas de voluntários saudáveis ao vírus da gripe comum. Ver S. Cohen, W. J. Doyle, R. B. Turner, C. M. Alper e D. P. Skoner, "Sociability and Susceptibility to the Common Cold", *Psychological Science*, v. 14, n. 5, pp. 389-95, 2003.

Um grupo de pesquisadores de Chicago estudou e comprovou esse efeito: apoio social de fato ajuda a gerir o estresse. Ver S. D. Pressman, S. Cohen, G. E. Miller, A. Barkin, B. S. Rabin e J. J. Treanor, "Loneliness, Social Network Size, and Immune Response to Influenza Vaccination in College Freshmen", *Health Psychology*, v. 24, n. 3, pp. 297-306, 2005.

Pesquisas mostram que quem tenta bancar o durão diante de uma tragédia sofre por muito mais tempo que aqueles que compartilham as próprias emoções e reconhecem suas vulnerabilidades diante dos outros. Ver Ben-Shahar, "Five Steps".

Mesmo assim, pesquisas também mostram que a maioria das mães costuma reagir a esse período difícil reduzindo a quantidade de apoio social. Ver S. Joseph, T. Dalgleish, S. Thrasher e W. Yule, "Crisis Support and Emotional Reactions Following Trauma", *Crisis Intervention & Time-Limited Treatment*, v. 1, n. 3, pp. 203-8, 1995.

O apoio dos amigos, dos parentes e dos grupos de pais ajuda os pais de primeira viagem a lidar melhor com o estresse, permitindo, assim, que enxerguem os filhos sob uma ótica mais positiva. Ver P. A. Andersen e S. L. Telleen, "The Relationship Between Social Support and Maternal Behaviors and Attitudes: A Meta-Analytic Review", *American Journal of Community Psychology*, v. 20, n. 6, pp. 753-4, 1992.

OUTROS

O filme *Number Our Days* ilustra a importância dos amigos e dos parentes à nossa volta. Disponível em: <https://www.youtube.com/watch?v=3aZY1IZc2MU>.

Mais sobre Barbara Myerhoff em: <http://www.indiana.edu/~wanthro/theory_pages/Myerhoff.htm>.

Os dinamarqueses gostam de ajudar. De acordo com o Índice Mundial de Doação, da Charities Aid Foundation's, uma abrangente lista de instituições de caridade globais, a Dinamarca ficou em sétimo lugar, em 2012, na proporção da população que faz doações à caridade. Aproximadamente 70% dos dinamarqueses doam dinheiro anualmente. Mais em: <www.information.dk/455623> (em dinamarquês).

Desde que a 18ª edição do *Højskolesangbogens* (cancioneiro escolar) foi publicada, em 2006, foram vendidas 38 750 cópias por ano na Dinamarca. O canto se tornou mais importante do que nunca e reflete a tradição de canto coletivo, que têm efeitos positivos. Mais em: <www.kristeligt-dagblad.dk/danmark/2014-06-21/den-danske-sangskat-er-årtiets-bogsucces> (em dinamarquês).

Índice remissivo

TIPOGRAFIA Adriane por Marconi Lima
DIAGRAMAÇÃO Osmane Garcia Filho
PAPEL Pólen Bold, Suzano S.A.
IMPRESSÃO Gráfica Bartira, junho de 2024

A marca FSC® é a garantia de que a madeira utilizada na fabricação do papel deste livro provém de florestas que foram gerenciadas de maneira ambientalmente correta, socialmente justa e economicamente viável, além de outras fontes de origem controlada.